MARIE DE VIVIER

GÉRARD DE NERVAL

LA PALATINE

PARIS · GENÈVE

Au Professeur Paul Divry

« Je criai longtemps, invoquant ma mère sous tous les noms donnés aux divinités antiques ».

G. N.

AVANT-PROPOS

Aucun médecin n'a, à notre connaissance, posé le diagnostic de « folie » du vivant de Gérard de Nerval, et nous croyons pouvoir considérer ce terme, employé post-mortem — par extension — par son médecin traitant, dans sa lettre émouvante à l'Archevêque de Paris, comme le dernier acte de bonté du docteur Blanche envers son malheureux malade : l'argument destiné à obtenir la sépulture chrétienne. « Folie » étant fort évasif, parlons, — par un certain euphémisme, — de crises de déséquilibre neuro-psychique, de constitution psychopathique, — c'est-à-dire d'un certain vice d'organisation dans la sphère instinctivo-affective, ayant conditionné le recours à l'alcool, facteur cérébro-toxique propre à procurer au malade une certaine évasion, mais aussi à favoriser les crises, et à aggraver son mal fondamental, constitutionnel. En le cernant minutieusement, d'après ses faits et gestes, ses demi-aveux et omissions, crises et rechutes, nous avons trouvé un homme toujours lucide, mais velléitaire et de volonté spécifiquement faible à l'égard d'un seul penchant ; qui ne divagua jamais en dehors de crises d'éthylisme plus ou moins longues et plus ou moins fréquentes, au cours desquelles il accomplissait le cycle classique, de l'excitation à la torpeur. A travers son œuvre, sa correspondance, les récits des contemporains, se dessine un Mélancolique de plus en plus anxieux, qui, sans force contre la souffrance, psychiquement traumatisé, crut trouver du renfort et une sédation dans l'alcool. Je rappelle ici ce que disait de l'abus de l'alcool le regretté Professeur de Greef, de l'Université de Louvain : « Il ne faut jamais perdre de vue le rôle de l'angoisse dans la genèse de l'alcoolisme ». Un autre médecin a écrit, à propos des lois de prohibition, palliatifs incertains : « Tant qu'il existera des conflits au cœur de l'homme, l'homme aura recours aux narcotiques ». Le conflit de Gérard de Nerval, abandonné au berceau, orphelin de mère à deux ans, a été définitivement analysé par le docteur Sébillotte, qui a démontré magistralement que Gérard de Nerval fut le terrain d'un complexe d'Œdipe prononcé. Pour y échapper,

— et à ses conséquences qui étaient la mélancolie, la timidité, l'horreur du réel, — (nous n'irons pas jusqu'à la conclusion d'impuissance du docteur Sébillotte), il eut très tôt recours à l'anesthésie par l'alcool, remède redoutable qui aggrava son mal. A une sensation subconsciente de « faute », s'ajouta le sentiment positif d'une déchéance réelle, — et toutes ses tentatives d'évasion, par les voyages, par l'alcool, ne firent que l'enfoncer davantage dans ses cercles d'enfer. En ce combat inégal qui opposa durant un quart de siècle sa personnalité lucide à son égo délabré, il ne fit cependant pas de lui-même un cobaye, comme l'opiomane de Quincey ; il ne tira de son malheur nulle leçon comme nulle vanité. Au contraire, tributaire d'une opinion publique pudibonde, et soucieux de la respecter, il mit son soin à déguiser un mal qui offensait sa pudeur, et au sujet duquel il emploie le mot amender de préférence au mot guérir. Aussi « Aurélia », qui est une extrordinaire autobiographie, n'est-elle pas le reflet littéral de ce qui lui est arrivé, mais une tentative de réhabilitation et donc de dissimulation. Ce n'est pas, comme l'a cru du Camp, « un document sur le mode de production des phénomènes morbides dont le cerveau des fous est travaillé », mais une œuvre de substitution, de symbolisation, analogue à celle du rêve, un édifice fabuleux où se confondent subtilement état crépusculaire et état second, notions livresques empruntées à toutes les cultures, visions oniriques et bachiques, dissimulant sous l'apparat mythologique la fragile charpente des faits. En bloc, une plongée, inouïe en France à cette époque, dans les souterrains du subconscient collectif et individuel, — plongée de portée universelle, qui dépassa infiniment ce qu'y virent ses contemporains, même Gautier qui n'y lut que « la dictée de la Folie à la Raison ». L'avènement, en France, du Rêve au premier plan des Lettres, date de ces saisons lugubres où un poète vagabond, meurtri dans « sa Majesté dégradée », et voulant donner le change aux moqueurs, traduisit sa perdition en termes de poésie, — la recouvrit d'un voile étoilé.

M. V.

Le Docteur Emile Blanche

à l'Archevêque de Paris,

Paris, le 27 Janvier 1855

Monseigneur,

M. Labrunie (Gérard de Nerval), âgé de quarante-cinq ans, né à Paris, homme de Lettres, a été atteint, à plusieurs reprises, ces dernières années, d'accès d'aliénation mentale, pour lesquels, mon père et moi, nous lui avons donné des soins. Vers la fin, le 12 octobre 1853, M. Gérard de Nerval m'a été amené dans un état de délire furieux ; après sept mois de traitement, il a fait un voyage de convalescence en Allemagne ; peu de temps après son retour, il est retombé malade et, le 8 août 1854, il m'a de nouveau été confié. Cette dernière crise a été moins longue et, le 19 octobre, sur ses instances, je l'ai remis à sa tante, Mme Labrunie, qui, prévenue par moi que M. Gérard avait toujours besoin d'une certaine surveillance, s'est engagée à le recueillir et à s'occuper de lui. En effet, M. Gérard de Nerval n'était pas assez malade pour qu'on pût le retenir, malgré lui, dans une maison d'aliénés, mais, depuis longtemps, pour moi, il n'était plus jamais sain d'esprit. Se croyant la même énergie d'imagination et la même aptitude au travail, il comptait pouvoir vivre, comme autrefois, du produit de ses œuvres ; il travailla plus que jamais, mais fut-il déçu dans ses espérances ? Sa nature indépendante et sa fierté de caractère s'opposaient à ce qu'il voulût rien recevoir, même des amitiés les mieux éprouvées. C'est sous l'influence de ces causes morales que sa raison s'est de plus en plus altérée ; c'est surtout parce qu'il voyait sa folie face à face. Je n'hésite pas à vous déclarer, Monseigneur, que c'est certainement dans un accès de folie que M. G. de Nerval a mis fin à ses jours.

Emile Blanche.

I

Les parents de Gérard de Nerval l'abandonnèrent au berceau. Ils le confièrent dès sa naissance à une nourrice de Loisy, un hameau de vingt chaumières à l'orée du « Pays de France ». Son père, le docteur Labrunie, agenois, ancien volontaire d'Espagne, attendait son ordre de départ pour le front. On était en 1808. L'ordre vint en 1810. Sa femme voulut le suivre aux armées. On chargea alors de l'enfant son grand oncle maternel, Antoine Boucher, qui exploitait à Mortefontaine, dans une petite maison jaune à contrevents verts, ancien apanage de Marguerite de Valois, un commerce d'épiceries et de tabac. Le jeune couple écrivit quelques lettres des bords de la Baltique, puis le docteur Labrunie fut promu médecin-chef de l'hôpital à Gross Glogau en Silésie, où, les fatigues de la guerre aidant, une épidémie de choléra eut raison de la fragile jeune femme ; elle mourut à vingt-cinq ans.

Gérard ne reçut d'elle aucune image ; on lui dit seulement qu'elle ressemblait à une gravure du temps, qui s'appelait « La Modestie ». Quant au jeune veuf, on resta longtemps sans nouvelles de lui, et Antoine Boucher, inquiet de l'avenir du petit garçon, alerta le ministère de la Guerre.

Mortefontaine, c'est une fontaine de pierre bleue polie par l'âge, dont l'eau mince dialogue sous le lierre et l'aristoloche avec l'inscription accueillante qu'y fit graver un mécène philosophe et poète ; c'est un bouquet de fraîcheur, c'est un château et un parc anglais, au fond duquel scintille le premier des miroirs azurés des eaux » de ce pays de brumes, de forêts et d'étangs. Le domaine appartenait alors aux Bonaparte, après avoir été la propriété du dernier des Bourbon-Condé, à qui il reviendrait en 1815. Joseph Bonaparte y menait grand train : il y maria ses sœurs Caroline et Pauline.

Le pays tout entier portait la marque de ses « suzerains » successifs, mais surtout celle des Médicis, qui avaient profondément impressionné son architecture, sa légende, son héraldique, ses chansons, sa musique.

L'enfant Gérard et le neveu de Joseph Bonaparte l'aimèrent également : les cendres des aïeuls du premier reposèrent un jour dans ce terroir et Napoléon III, non loin des fastes de Compiègne, fit bâtir à Saint-Leu une église destinée à l'ensevelissement des cendres de son père, ramenées d'exil. Mais tandis que pour l'Empereur, cette possession privée au sein de la patrie, ce « Pays-de-France » au cœur de la France s'étendra sur des centaines de kilomètres, pour le poète, le fief sera un simple champ entouré de halliers qu'on appelait les bosquets, baptisés du nom du dernier des Césars, Nerva. A ce rien de terre maternelle dessiné par un carré de buissons, Gérard demandera son nom.

En attendant il joue avec les gamins du village : on saute les ruisseaux à gué, on exhume des trophées du sol ; les fillettes se couronnent d'ache et de nénuphars : l'une d'elles se nomme Célénie. Sylvie peut-être.

Les femmes de la famille chantent des berceuses et conduisent l'enfant à la messe ; son oncle, philosophe, défait leur ouvrage et aux questions du petit garçon curieux, il répond distraitement : « Dieu c'est le soleil ». Après 1815, à Paris, un missionnaire lui enseignera le « Sermon sur la montagne » et lui offrira un Nouveau Testament. Un jour, furetant dans le grenier, cet enfant moralement négligé, sinon abandonné, découvre des livres à demi rongés par les rats, l'humidité, le temps : livres de magie, d'alchimie, de cabale, de philosophie. C'est Apulée, Kircher, l'abbé Terrasson, Court de Gibelin, Devismes du Valgay, Cagliostro son « voisin », l'abbé de Villars qui mourut très mystérieusement, pour avoir trop « babillé » au sujet des sciences secrètes, Swedenborg et le dictionnaire mytho-hermétique de don Pernety son disciple dont Gérard plus tard nourrira ses « Chimères »... Sous les ombrages du parc des Encyclopédistes d'Ermenonville, à quelques kilomètres de chez lui il découvrira le Temple de la Philosophie et on lui parlera parfois des réformateurs jadis invités dans le pays par ceux dont leurs idées allaient détruire les châteaux et le mode de vie : le comte de St-Germain, Mesmer, Cagliostro, plus tard Sénancour, St-Martin, Dupont de Nemours, Cazotte.

Toutes ces découvertes cependant, pour importantes qu'elles aient été, seront de peu de poids au regard de cette stèle sur laquelle Jean-Jacques Rousseau, un siècle auparavant, avait, de sa propre main, gravé une dédicace qui était un programme :

« A la Rêverie »

Un jour de 1814, trois soldats interrompirent les jeux de l'enfant en le pressant sur leur cœur, à le faire crier. L'un était son père, qui blessé, réformé, claudicant, réintègre tristement la vie civile, et emmènera le petit à Paris, où il ne négligera rien pour faire de lui un humaniste et un mondain. Gérard s'appliquera aux langues, s'éprendra des poètes, suivra docilement des cours particuliers de dessin, de danse, de musique. Le deuxième « revenant » est le frère cadet du docteur, un homme gai dont le caractère insouciant tempère l'austérité et la tristesse du premier ; le troisième est un domestique : Gérard avec lui prendra goût aux randonnées matinales, ils verront souvent se lever l'aube sur la colline de Saint-Denis et déjeuneront frugalement dans la campagne.

Le docteur Labrunie, à quarante ans, était un homme fini. Fini avec la Grande Armée, objet de son amour et de ses ambitions. Son fils est tout pour lui et il voudrait être tout pour Gérard : maître, exemple, ami, pédagogue. L'enfant s'éprend en effet de cet éducateur tyrannique et il épouse ses ferveurs. Napoléon, Talma, sont ses héros ; Byron, Béranger, ses poètes. Il les imite, leur tresse des couronnes, leur dédie des odes : dans cette poésie juvénile, qui jaillit en torrents de son cœur subjugué, c'est celui de son père qui bat.

Un jour il assiste avec celui-ci à l'adieu de l'Empereur aux Aigles : « Une heure fatale, écrira-t-il plus tard, sonna pour la France ; son héros, captif lui-même au sein d'un vaste empire, voulut réunir au Champ de mai l'élite de ses héros fidèles. J'assistai à ce spectacle sublime dans la loge des généraux ».

Sous les images naïves de la Grande Armée, le docteur Labrunie ouvre son cœur au sensible confident. Il lui chante, en sanglotant et s'accompagnant de la guitare, les romances d'amour qu'aimait la jeune morte. Et Gérard se l'imagine pareille à la « Lénor » de Burger enlevée par le noir Cavalier.

Tandis que le narrateur, qui se souvient à voix haute, ne s'imagine pas le trouble où il plonge son auditeur, ni que sa peine est contagieuse. Il est le « Veuf Inconsolé ».

« O Primavera » !

II

En 1820, Antoine Boucher mourut, et se ferma la maison de Mortefontaine où Gérard était si souvent revenu en vacances, et qu'en 1828 fera détruire la baronne de Feuchères. Il avait chaque été parcouru son pays de brumes et de lacs, revu sa compagne de jeux : il était devenu pour les gens du pays un personnage, « le petit Parisien ». Mais c'est là tout son prestige.

Adolescent, puis jeune homme, il ne connaîtra de l'amour que ses dédains, ses larmes, qu'il s'éprenne de la voisine, de la servante ou de l'ouvrière, qui toutes riront des amours trop éthérées de ce St-Preux. Ainsi deviendra-t-il ironique et songeur, avec un goût pour le repliement, la solitude.

Seule Sylvie, l'amie d'enfance, ne le dédaigne pas et lui, qui écrira un jour ces mots désabusés : « N'être pas aimé et n'avoir aucun espoir de l'être jamais », jouera une seule fois le rôle de cruel.

C'est certainement Célénie-Sylvie qui lui a inspiré cette odelette ronsardisante qui fleure bon la ritournelle : première ébauche, très sommaire, de « Sylvie » :

« *Au joli temps du renouveau*
et des pâquerettes mignonnes
Tous deux ensemble au bord de l'eau
Nous devions tresser des couronnes.
Je t'ai bien longtemps attendu
hélas et tu n'es pas venu.
Nulle couronne n'est tressée
et voilà la saison passée.

Que de fois tu m'avais promis
de venir aux saisons prochaines
cueillir avec moi des épis,
de beaux épis mûrs dans les plaines.
Je t'ai bien longtemps attendu
hélas et tu n'es pas venu.
Nulle gerbe n'est amassée
et voilà la saison passée.

Tu m'avais promis bien souvent
encor de venir à l'automne
faire de l'herbe au petit champ
hélas maintenant l'herbe est jaune.
Si tu veux faire une couronne
et faucher le gazon flétri
viens sur ma tombe pauvre ami.

S'est-il, au cours des vacances, épris d'Adrienne, la jeune châtelaine ? Aucun poème n'en fait mention. Mais en entrant au Collège il s'est éloigné de son enfance, — pour quelque temps... Il s'est promptement fait au lycée Charlemagne une notoriété en publiant des odes, des élégies, des poèmes épiques, des hymnes patriotiques, et un jour l'aborde un de ses cadets, nommé Théophile Gautier, qui, doué d'une prodigieuse mémoire, lui récite son œuvre par cœur. Cette rencontre exaltée est le début d'une amitié qui durera toute la vie, longtemps assidue, fraternelle toujours.

Théophile — le Théo — était fils d'un employé d'octroi. Enfant choyé, applaudi, il était fanfaron, m'as-tu vu, bruyant et voyant en diable ; petit et corpulent il se vêtait de façon criarde mais recherchée, « pour être vu ». Très tôt, il pérorera.

Gérard était effacé, attifé d'une redingote noire usée. Il ne parlait pas pour briller, bien qu'il brillât, mais pour communier, partager ses idées. Bouillant de pensées, il était, dit Gautier dans un état de perpétuelle effervescence, toujours prêt à bavarder avec le premier venu, toujours le cœur offert.

Il était blond, les traits fins et la démarche légère. Timide surtout et surtout ingénu. L'opposition entre les deux amis, éclaire ce que sera la solitude de Gérard.

On connaît la verdeur d'expression de Gautier, sa verve érotique, attitude sans doute, snobisme de l'âge mûr comme les habits voyants étaient la fanfaronnade de l'enfance. Mais Gérard dut supporter toujours ces outrances, ce goût douteux, il n'ignorera pas la façon désinvolte dont on jase, à son propos, ni les gorges chaudes que l'on fait de sa chasteté. Il donna toujours le change, sut toujours être beau joueur, mais se replia sur la part de lui-même qui, miraculeusement préservée, lui permit d'écrire « Sylvie », ce bouquet, cette églogue.

Revenons à l'aube de leur amitié : à cette heure exaltée où le cadet fut vers l'aîné, un rêve de poète à la main. Ils ont même prédilection, même feu sacré. Gérard, dans toute la fougue de sa jeunesse, était frondeur, subversif. Bonapartiste sous Louis XVIII c'est à ses frais, grâce à la rente de la dot maternelle, qu'il put faire imprimer des libelles séditieux assez retentissants dans un cercle confidentiel : il s'en prenait malicieusement, car il était rieur et plein d'esprit, aux autorités, au droit d'aînesse qu'il était question de rétablir, à la préface de Cromwell, à Monsieur Victor Hugo, au « Nouveau Genre ». Sa liberté d'expression était alors absolue : il ne dépendait que de lui-même et avait le gîte assuré. Une déception personnelle allait le dresser contre l'Académie des Jeux Floraux, au concours de laquelle il présenta une thèse d'une remarquable maturité, et qu'on rejeta. Furieux, il tenta en vain de se résigner à n'être qu'une gloire de collège digne seulement de récompenses de collège, puis réagit en écrivant « L'Académie ou les Membres introuvables », allusion évidente à cette « Chambre introuvable » qui venait de voter la suppression des libertés individuelles.

Sa thèse, qui portait sur Ronsard et les poètes du XVIe siècle faisait figure de Manifeste. Elle provoquait à un art nouveau, un art bouleversant :

« C'est une terrible prévention, disait-il notamment, que celle de vouloir perfectionner Racine. *Puisque nous ne pouvons faire mieux, faisons donc autrement* ».

Rien, dans ce programme clairvoyant, de l'esprit tranchant des « Jeunes ». Gérard saluait dans le XVIIe siècle une perfection qui en marquait le point final. Le détruire ? Non : le dépasser, et ne faire autrement que faute de pouvoir mieux faire.

Son amour du XVIe siècle, outre qu'il l'animait de cet ambitieux projet d'un départ à zéro qui respecterait les valeurs prouvées, (« rehausser la vieille versification française, tout en la maintenant dans ses anciens droits ») son amour du XVIe siècle va lui donner certaine nostalgie, certain « caractère » bien particulier : Ronsard, porte-parole de la maison des Valois, lui inspire la première intuition de la « Princesse apparue ». Il replace les poèmes de Ronsard dans le contexte, qui s'y prête si bien, de son pays natal. Quand il retourne au village où l'attend « Sylvie », quand il « franchit l'espace qui séparait son toit natal de la ville des Stuart, St-Germain-en-Laye, il rêve « *à la Diane valoise qui protège les Médicis* ». Qui est cette Diane, allégorie ou personne réelle ? Il en parle au présent, comme d'un mythe.

Songe-t-il alors à quelque emballement enfantin, à quelque jeune femme entrevue au cours d'une de ces fêtes que les Bourbon donnaient alors dans le pays ? Surtout, c'est un rêve intérieur, le rêve d'une époque munificente qui eût satisfait ses goûts de beauté, de raffinement : « C'est sous Louis XIII... ». Ses souvenirs, il ne les vit pas, il les rêve à demi. Et voici, après l'Odelette, « Fantaisie », l'autre face du diptyque, l'autre moitié de son « double amour » :

« *Il est un air pour qui je donnerais*
Tout Rossini, tout Mozart et tout Weber,
Un air très vieux, languissant et funèbre
Qui pour moi seul a des charmes secrets.

Or chaque fois que je viens à l'entendre,
De deux cents ans mon âme rajeunit.
C'est sous Louis XIII ; et je crois voir s'étendre
Un coteau vert que le couchant jaunit.

Puis un château de brique à coins de pierre,
Aux vitraux teints de rougeâtres lueurs,
Ceint de grands parcs, avec une rivière
Baignant ses pieds, qui coule entre les fleurs.

Puis une dame, à sa haute fenêtre,
Blonde aux yeux noirs, en ses habits anciens,
Que, dans une autre existence peut-être
J'ai déjà vue, et dont je me souviens...

Plus tard, quand il aimera, il croira trouver entre la femme aimée et l'apparition une « ressemblance », (thème cher à Restif de la Bretonne). Et il désignera ce château et cette Apparition comme le but ultime de la vie du Poète. Imaginant aux fenêtres du château de St-Germain les beautés blondes de cette Cour riche en « divines » princesses, s'il se veut comme Pétrarque, Ronsard et Théophile de Viau (Ronsard libertin du Valois) le chantre de l'une d'elles, c'est que pour lui le type éternel de la beauté est « une Médicis » ; il admirera à St-Denis la Gisante Catherine étendue au côté de Henri II, « belle comme Vénus et sage comme Artémis ». Toujours il créera autour de lui une atmosphère Médicis ; sa pendule tourangelle, qui ne marquera jamais l'heure, (arrêtée pour jamais au temps des Médicis) s'ornera de la classique Diane.

Puis, quand il créera l'Image définitive, digne de rivaliser avec les Laure, les Béatrice, il fera couler dans ses veines le sang des Valois, le Sang de France.

III

1827 est une date capitale dans sa vie.

Eugénie, sa jeune tante, sa compagne de jeux, est morte, lui inspirant une plainte profonde : « O mère des infortunés, plaignez tous ceux qu'on abandonne », plainte qui préfigure la péroraison d'« Aurélia ».

Bientôt la suivra dans la tombe cette grand-mère qui portait un corset de berger suisse, à laquelle Gérard dédiera aussi une élégie mortuaire, après avoir paru aux siens indifférent à sa disparition. Mais pour ce passéiste, il faut le recul du temps pour percevoir l'événement, et tandis que la famille, tout doucement, se fait à l'absence, chez lui, « le souvenir se creuse plus avant ». Bientôt encore va disparaître la maison de Mortefontaine, témoin de son enfance et de ses jeux.

Or, cette année-là, flânant boulevard Beaumarchais, léchant les vitrines des libraires, il s'arrêta subjugué par un livre fantastiquement illustré à la manière des livres magiques de Kircher : c'est le *Faust* de Gœthe traduit par Korner. Ce fut le coup de foudre : il allait s'attacher à Faust de tout son précoce désespoir. Aux prochaines vacances à St-Germain il le traduira et sa traduction sera aussitôt adoptée et considérée d'emblée comme classique. Entre maintes raisons que Faust a de le retenir, il y a son origine allemande : l'épopée de la mère de Gérard a eu pour décor l'Allemagne, sa « chère Allemagne, la terre de Gœthe et de Schiller, le pays d'Hoffmann, la vieille Allemagne, notre mère à tous, Teutonia ».

Ce Français, le plus français d'entre tous ceux de sa génération, au dire de Théophile Gautier, et qui toujours célébrera la langue française, la préexcellence de la France, le style français, Paris, décida ainsi, à 19 ans, d'annexer Faust. C'est lui qui, précédé en matière de traduction par l'Ambassadeur Marquis de St-Aulaire, enrichira son pays des deux Faust auxquels il adjoindra un lumineux commentaire. Faust ainsi s'inscrit au fronton de sa carrière poétique et l'annonce éblouissante : le XVIe siècle y a tout naturellement conduit cet esprit « renaissant ».

Les applaudissements le grisent : Hugo le félicite et l'autorise à porter à la scène Han d'Islande ; Berlioz dès la première lecture conçoit la « Tentation ». Goethe, à qui, trop modeste, il n'a pas osé envoyer son ouvrage, dira quand il le connaîtra : « Je n'aime plus le Faust en allemand, mais dans cette traduction française où tout agit de nouveau avec fraîcheur et vivacité ». Fraîcheur et vivacité, faut-il le dire, nervaliennes et non goethiennes.

Sa réputation s'installa en ces termes : « C'est le sphynx allemand compris par l'Oedipe français ». C'est que la tâche du traducteur n'était pas aussi simple qu'il peut nous paraître après coup : la critique française boudait le génie allemand, qu'elle trouvait fumeux et certains raillèrent longtemps Gérard pour son engouement opiniâtre. Pour imposer Goethe à la France il ne fallut rien moins que son génie limpide, son esprit de méthode, son exceptionnelle clarté, sa phrase cursive et légère. Suivant cette pente il souhaita alors d'écrire un Faust à la française, avec l'aisance de Perrault et la bonhomie de La Fontaine. « Il était une fois »... Ainsi devait-il un jour écrire, d'après Klinger : « Faust était dit-on le gendre de Laurent Coster, imagier à Harlem ». Franciser un chef-d'œuvre étranger serait faire à son pays un don magnifique.

Tel est le « moins de vingt ans » que grise

peut-être une bouffée de gloire précoce et prometteuse.

Or il vient de passer son bac en présence de Guizot, futur ministre, auquel il devra beaucoup sous la monarchie de juillet. Il a choisi sa voie, il espère tout de la vie, quand son père fait obstruction : il ne veut pas pour lui des Lettres, carrière à ses yeux incertaine, mais une profession sûre, lucrative.

Et voilà Gérard désolé : où est le recours, où l'appui dont a tant besoin son cœur pusillanime ? Si entouré qu'il semble être, il est bien seul : ses amis l'aiment beaucoup, mais avec une juvénile cruauté, ils ne manquent pas une occasion de le taquiner sur sa candeur, ses airs absents. Ils sont déjà adultes, quoique du même âge que lui, voire plus jeunes : Gérard est un enfant.

Alors, il fuit leurs brocards et s'en va rêver, seul. Seul ou avec des compagnons rassurants : des ouvriers au travail ou en goguette, des clochards, des flâneurs nocturnes. Des humbles, qui ne connaissent pas l'ironie, des modestes, des victimes du paupérisme, « spectres où saigne encore la blessure de l'amour ». Avec eux il rencontre ce qui sera son seul bonheur : la griserie : « Quand je te bois, sang de la vigne, je ne suis plus le même »...

Quand son père apprit qu'il buvait avec des

vagabonds, des va-nu-pieds, des polissons, il s'alarma et convoqua, chez le père de sa femme, un linger de la rue Coquillière, vieillard taciturne tout acquis à l'orphelin, les hommes de la famille : Alexandre Labrunie, veuf d'Eugénie, Gautié d'Agen, ancien pharmacien devenu marchand de vins, qui appréciait Gérard et aimait ses amis ; un avoué du voisinage assistait à l'entrevue. C'est ainsi que le lendemain le traducteur de Goethe entrait dans la cléricature par la porte de cet avoué, avec mission de végéter dans une étude et de n'en sortir qu'à heures fixes, pour aller se restaurer dans le voisinage immédiat, chez son grand-père. Gérard bien entendu rua dans ces brancards, abandonna prestement cette geôle, quitte à s'en choisir une autre, librement : car il se fit ouvrier typographe, ce qui devait lui permettre d'écrire son propre Faust, un jour.

Mais surtout, il écrit, il écrit des diableries picaresques, à la manière de Villon. Il jette en défi, par réaction contre les remontrances paternelles, un Eloge du Cabaret, « Le Cabaret de la Mère Saguet ». L'exemple qu'il suit, depuis son premier succès, c'est d'en haut qu'il s'en réclame : on rencontre au cabaret les écrivains les plus idolâtrés, les plus distants ; ceux devant qui le bourgeois plie le genou ; les poètes du XVIe siècle sacrifiaient à Bacchus ;

Hoffmann trouvait dans la fumée des tabagies et les vapeurs de l'alcool la communion, l'inspiration, le fantastique, si à la mode... Pourquoi pas lui ?

Donc, choquons nos verres. « Tarare, je veux, moi, être de bonne humeur ».

IV

« L'amitié lui poussait comme à d'autres l'amour, par folles bouffées. Il s'enivrait du génie de ses amis comme on s'enivre de la beauté de sa maîtresse... » Ainsi le présentera un jour Jules Janin.

D'amitié en amitié, (d'abord Théo, Pétrus Borel, Célestin Nanteuil le lycanthrope, puis les amis des amis), il fit partie d'un groupe qui se surnommait « le Petit Cénacle » par opposition au « Grand Cénacle » romantique. C'étaient les « petits-romantiques », les bouzingots, les Jeune-France, les Vaillants de 1830 ». Ils étaient révoltés, tapageurs, noctambules, déambulants et ardents. Ils buvaient l'alcool dans des crânes pour imiter Byron à l'abbaye de Newstadt. Quand ils avaient fini de boire dans leur mansarde rue de Vaugirard, ils recommençaient à boire chez la mère Saguet. Ils s'appelaient Petrus Borel, Célestin Nanteuil, Bion, Jules Vabre, Jehan Dusseigneur, Auguste Mac Key ou Mac Keat, Joseph Bouchardy et Théophile Dondey, Xavier Forneret et Aloysius Bertrand qui crachait le sang et devait mourir méconnu, jeune encore. Les uns soutenaient Lamartine, les autres le pourfendaient ; tous se sentaient de taille à faire mieux que les aînés, les grands romantiques larmoyants.

Cette « Nouvelle Vague 1830 » faisait la révolution sur tous les plans, avec fureur, avec noblesse. Ils en voulaient à leurs parents, à leurs prédécesseurs, à la bourgeoise Restauration. Ils en voulaient à la défaite. Et tous, parents, bourgeois, art classique et traditions, tout, à leurs yeux, était perruque, vieille barbe. Au feu Racine et vive Victor Hugo.

Gérard, le pondéré, le modéré, qui a pesé les termes de son art poétique, qui vient de placer les auteurs du XVIe siècle dans un vaste panorama, prend parti lui aussi, à côté de ses amis, pour la révolution du vers, reflet et instrument de la libération sociale, et, fougueusement, se met à la tête de cette claque de jeunes hugolâtres qui remporteront la bataille d'Hernani qu'il commémorera dans une page intitulée « Les derniers Romains ». Avec eux il descend sur le tas, voue le bourgeois au bourreau et couvre les murs de Paris de graffiti incendiaires.

« J'avais été, écrira-t-il sous le Second Empire, l'un des jeunes de cette époque et j'en avais goûté les ardeurs et les amertumes ».

Il se voulait à la fois truand et talon rouge, Régence et révolté, et se flattait de « railler comme les Epicuriens d'Alexandrie ». Traité par la police, lors de l'émeute de la rue des Prouvaires, comme un « simple tapageur nocturne », il note, en prison, cette expérience. C'est la page de prose « Mes prisons ». C'est le poème « Politique ». En prison d'ailleurs il ne perd pas son temps : il fait la connaissance d'Evariste Galois et se procure d'urgence des almanachs allemands, où il cherche le fantastique. Mais hélas on ne vit pas toujours en prison, dans des mansardes ou sur le tas. Il faut rentrer au bercail, redevenir l'enfant grondé, l'enfant penaud. Subir l'ennui du poussiéreux appartement où s'affaire la vieille gouvernante Gabrielle, où son père, pire qu'un geôlier, rumine sa mercuriale. Et la peste soit pour celui-ci des références hautaines du songe-creux, ses épicuriens de tout bois, la peste surtout de tous ceux qui l'entraînent : ces gens de lettres que le docteur Labrunie, homme sans phrases, méprise tous, en bloc.

Alors ce trublion qui n'est qu'un enfant déchiré commence à douter du bien-fondé de sa vocation.

A cause de son père, il n'est pas en paix avec lui-même, il se sent « coupable », entravé. Ce sentiment d'infériorité, de culpabilité confuse, va le porter à rêver davantage, à se replier, elle fera obstacle aux réalisations heureuses : après son premier succès, il se sent comme paralysé :

« *Ainsi tout jeune encore, et plus audacieux,*
Sur la gloire un instant j'osai fixer les yeux.
Un point noir est resté dans mon regard avide... »

C'est Burger qui a écrit cela. C'est lui qui l'a traduit, adapté, qui se l'est approprié : car il l'a vécu aussi.

De guerre lasse un jour il cède à son bonhomme de père : soit, il sera médecin. Inscrit à l'école de médecine, il accompagne partout le vieux docteur qui a repris du service volontaire au cours d'une épidémie de choléra. Et là éclate, évidente, son absence de vocation. Ce choléra qui a tué sa mère, qui frappe et terrorise Paris, lui est totalement indifférent : qu'en dit-il ? seulement ceci : c'est chose cruelle. Et point c'est tout. Cette maladie est bien encombrante, elle le gêne dans ses mouvements, dérange ses habitudes, compromet ses rendez-vous, et, le réquisitionnant, voici Gérard isolé, séparé de ses amis, qu'il aime, à cette époque, par dessus tout, n'osant leur promettre de rendez-vous, qu'au conditionnel, enfin très malheureux.

Or c'est l'aurore de l'année, et bien qu'il suive son père au pas gymnastique, il sent l'approche du printemps. Ces effluves, cette pulsation, c'est sa jeunesse, c'est la Jeunesse. Gérard est jeune, jeune, jeune. Et du printemps tragique qui mobilise carabins et médecins chevronnés, il ne retient que la jubilation d'avril :

« *Déjà les beaux jours, la poussière,*
Les murs enflammés, les longs soirs... »

Le grand-père maternel de Gérard mourut peu après, laissant tout son bien, à l'exclusion d'une petite rente à Eugénie Joannet, la fidèle vendeuse qui avait vu grandir Gérard, à ses deux petits-fils Gérard et Pierre-Eugène, fils d'Eugénie, qui devait mourir bientôt.

C'était en 1834. L'oncle Alexandre Labrunie s'était remarié, sa seconde femme allait gérer le clos de Nerval, indivis, ce champ entouré de bosquets qui rapporterait à chacun 9 F l'an. C'est elle qui un jour de 1836 conduirait là les cendres de la famille. En attendant cette translation, on inhuma le linger auprès de sa femme et de sa plus jeune fille à Montmartre. Selon sa volonté, Gérard fut nommé administrateur de l'héritage, évalué à 30 000 F environ pour chacun, dont 20 000 réalisables dès la liquidation des biens. Eugénie prit sa retraite, on vendit les marchandises, on sous-loua le magasin.

Pour le docteur Labrunie, cet héritage fut un désastre car Gérard renonça aussitôt à la médecine. Et, comme le font les enfants qu'on torture « pour leur bien », il quitta le toit paternel. Il s'en fut habiter avec un peintre de ses amis, Camille Rogier.

Or son père était certes un père obtus, mais aussi un père dévoué. Dans sa vie, nulle femme, rien que son amour pour Gérard, remplaçant tout : sans doute, peu après Waterloo, avait-il reçu quelques visites gracieuses qui effarouchaient l'enfant ; et avait-il laissé à Wilma le regret léger d'une présence féminine, celle de cette grande dame polonaise qui l'avait « sauvé ». Aventure romanesque ? En tout cas sans lendemain. Gérard était sa vie et Gérard s'en allait. Il prit la chose fort mal, son cœur s'emplit d'amertume, il disposa de la chambre du fils prodigue et Gérard n'eut plus au foyer que son couvert dressé chaque jeudi.

Un trait donne le ton du sentiment filial de ce fils plus affectueux que nul autre, et plus cruel aussi : qui aime son tyran et le fuit. Le soir de la bataille d'Hernani, il alla saluer son père et comme Théo s'en étonnait : « Un pareil soir ? », il répondit : « Même si j'avais écrit Hernani ».

Mais il partit pourtant. Pas loin : en Italie, et, s'entourant du luxe de précautions candides. C'est à Rogier et aux amis du Petit Cénacle qu'il demanda « protection » et complicité. Il les chargea de poster en France des lettres pour son père qui le croyait à Agen, où il passa en effet...

L'Italie le déçut comme devaient le décevoir toutes choses : il en vit surtout les cabinets de lecture, les vitrines des librairies, et derrière ces vitrines les noms des poètes français, ses amis en tête. Il gaspilla avec beaucoup d'entrain, but beaucoup d'asti, appela alors au secours et, lazzarone-capitaliste, fut réduit à se sustenter de fruits et de macaroni. Pour le reste, « l'Italie est bien belle mais elle n'a pas de beurre ; ses bandits ne sont que des malheureux en pantalon, vestes de velours et chapeaux tromblons. La cendre du Vésuve a desséché son unique paire de bottes, et maintenant qu'il en a de neuves, il les voudrait de 207 lieues pour être à Paris dans l'instant ».

L'épitaphe de l'Italie est dans Sylvie : « Je n'ai rien vu là-bas que je puisse regretter ici ».

Rentré à Marseille avec cinq sols, il en

emploie deux à se faire cirer et trois pour engager deux gamins à porter ses effets : ainsi, ganté de jaune, il fait une entrée sensationnelle dans un des meilleurs hôtels où l'argent envoyé par ses amis viendra bientôt le renflouer.

Il peut donc manger à crédit à table d'hôte, et c'est là son seul plaisir, l'attraction de ses journées sans argent et sans distractions : aussi une jeune femme, sa voisine de table, y prend-elle une grande importance, si grande qu'il parlera de cette rencontre au long de son œuvre, toute sa vie, et jusqu'à 1853 où il écrira Octavie.

L'aventure, elle est mince pourtant : mariée à un homme vieux, et buveur, la jeune touriste rieuse offre du champagne à Gérard, ce qui agace le mari.

« Le mari se vexa et sortit de table, écrit Gérard à ses amis. Et il ajoute modestement : « Je sais que je n'ai pas l'air d'un Antony, mais aux yeux d'un mari et d'un fou je puis paraître encore redoutable ».

Il ne sait donc pas qu'il est un tout jeune homme ; il se croit vieux à 26 ans...

Cette aventure dérisoire, il en fera une page du « Voyage en Orient », (le lac de Constance), deux Chimères (Delfica et Myrtho), une feuille de la « Presse » en 1840. Et enfin Octavie, cette nouvelle singulièrement construite, mais d'une inégalable fraîcheur.

Sans doute, au cours des années, s'est-il raconté cette histoire d'amour comme il aurait voulu la vivre : la jeune femme devient une jeune fille, le mari devient un père, elle ne lui est pas cruelle, puisqu'ils se promènent ensemble, qu'ils ont des dialogues désinvoltes et, de sa part à elle pleins de sous-entendus tendres ; il trouve, pour dire cette idylle imaginaire, des mots vifs et frais, des mots acides comme les citrons qu'il lui fait mordre à belles dents, des mots frais comme ce poisson que, nageant avec lui, elle lui donne soudain en offrande, « fille des eaux » qui deviendra, par la grâce de la poésie, la première des « Filles du Feu ».

« Chacun est son Amour et est tel qu'est son Amour régnant ».

Swedenborg

V

Cet engouement d'un jour dont il se souvint toute la vie, cet éblouissement à la fois durable et passager, signifie surtout que Gérard était prêt pour l'amour. Et la rencontre de Marseille ne fut que le prélude d'une rencontre au caractère fatal, de son plus grand amour, de celui dont il a pu dire : « Il a dévoré ma jeunesse ».

Il venait de rentrer d'Italie lorsque Jenny Colon lui apparut un soir sur la scène des Variétés, telle qu'il avait rêvé l'apparition de « Fantaisie » : « blonde aux yeux noirs en ses habits anciens ». Sous l'abondante brocatelle et le feutre à ganse perlée, elle semblait surgir de quelque vie antérieure, princesse de la Renaissance ou figure allégorique de la vie de Catherine de Médicis.

« Celui qui aime sans espoir pour la seconde fois, disait-il à son propos, citant Heine, est un fou. Moi je suis ce fou. Le ciel, le soleil, les étoiles, en rient. Moi aussi j'en ris, j'en ris et j'en meurs ». Toujours il aimerait sans espoir.

Il ne demandait pas à Jenny de se donner à lui, mais de lui permettre seulement cet amour rêveur dont s'étaient gaussées déjà de simples filles. Chaque soir, pendant trois ans, il fut heureux de sa seule présence, bonheur certes incomplet, délicieux tourment. Il n'était plus le minable vêtu d'orléans noir ; pour elle il se fit dandy, loua une loge pour la saison, la combla de fleurs commandées chez la fleuriste à la mode ; parfois accompagnées de timides billets anonymes ; se ruina en lorgnettes pour la voir, en cannes ouvragées pour l'applaudir.

Il y a bien du « Charlot » dans ce Gérard-là. Mais n'y a-t-il que cela ; rien qu'un déshérité qui aime sans nul espoir de retour ? Non : l'exigence plus que la timidité le gardait d'approcher l'être aimé, de réaliser, donc d'altérer, son amour, qui était avant tout de « dépassement » de soi.

Qui était Jenny ? Une enfant de la balle, assez célèbre, de mœurs très libres, sans doute hélas parce que la vie lui avait tôt appris que tout s'achète, que tout se paie ; une pauvre fille en somme, mal mariée et trop jeune au premier venu, divorcée puis somptueusement entretenue, brisant les ménages, défaisant les couples, vénale avec candeur et qui s'évaluait à l'aune d'un beau salon, d'une collection de tableaux. Or, que lui offrait Gérard ? A toute force et de tout son cœur ce qui lui était resté d'enfance : la pureté.

Il a fait, ce pur amour, couler bien de l'encre ; on a supposé que, on a cru que, on a dit que. Ses amis, juvéniles, parfois triviaux, déjà pourvus de maîtresses, se gaussaient gentiment de l'emballement mystérieux du poète. Les uns sous-entendirent qu'il n'était pas si éthéré qu'il le disait, et on le soupçonna d'avoir reçu une nuit, rien qu'une — et ici les rires redoublaient — Jenny dans le lit tourangeau de la reine Margot. Selon Théo, il n'avait parlé à Jenny qu'une seule fois. D'autre se riaient du nez « fait comme une virgule » de sa « Beauté ». Tous ces propos rapetissent singulièrement la portée d'un amour hors série. Il fallait que cet amour fût souverain pour passer outre à tant de pièges et il l'était : puisque Gérard en elle aimait le meilleur de lui-même, aimait une cristallisation.

« C'est une image que je poursuis, rien de plus, dit-il à un indiscret ».

Cet amour resta-t-il platonique parce que timide et dédaigné ? Peut-être mais qu'importe ? L'essentiel c'est qu'il fût pur au point de résister à la timidité et au dédain.

Adolescent, Gérard avait voulu aimer comme St-Preux. Aujourd'hui il aimait comme Francesco Colonna, l'auteur d'un « best seller » du XVe siècle, « Le Songe de Poliphile », livre à double signification, à la fois traité d'alchimie et catéchisme de chaste amour. Francesco avait aimé Polia, mais la naissance de la jeune fille leur interdisant le mariage, ils s'étaient juré fidélité, étaient entrés dans les ordres et s'étaient revus chaque nuit en songe. Parfois au hasard d'une procession ils échangeaient un sourire qui signifiait « Frère, sœur, il faut mourir ». Mais ils se retrouveraient dans l'éternité bienheureuse, leur rêve le leur assurait. Francesco mourut le premier, « ayant achevé son pèlerinage et son livre » et il y a en effet dans ce récit fabuleux une perfection, une plénitude, que ne donnent pas les récits d'amours vulgaires. Pour Gérard la lecture de cet amour, sa « copie », sa vie préservée, devaient l'amener à inscrire un jour en tête d'un poème d'avant-garde ce suprême Manifeste poétique : « Le rêve est une seconde vie ».

Qu'il ait fixé son choix sur une comédienne était fatal aussi. Tous ses amis fréquentaient des comédiennes, les épousaient parfois. Dans la « Thébaïde » qu'ils occupaient ensemble, dans le vétuste « Doyenné », près du Louvre, découvert par Camille Rogier et meublé par

Gérard en style Médicis (il avait adopté cette devise « Meublons-nous les uns les autres »), et où était venu les rejoindre le jeune Houssaye, futur directeur du « Français » (comme Gérard originaire du nord de Paris et comme lui fils de bonapartiste fidèle), dans le vaste salon orné de peintures de leur cru, de hamacs, voire de tentes rudimentaires, de tables de travail, les jeunes gens avaient installé des jeunes femmes. C'était Sarah la Blonde, c'était Lorry, de l'Opéra, c'était Victorine, c'étaient les Cydalises ainsi nommées en souvenir de la Régence, c'était surtout Cydalise première, dont étaient amoureux Camille son amant et Théo son poète. Elle était « tombée » chez eux, petite fille ignorante et fragile, venant d'on ne savait où, à la sortie d'un bal. Elle les quitta après une courte existence, poitrinaire, pleurée par tous.

Théo et « l'horrible Camille », comme l'avait surnommé, dans sa jalousie, ce dernier, se réconcilièrent sur sa tombe. Il reste d'elle les plus tendres vers de Théophile Gautier : « Pour veiner de ton front la pâleur délicate ».

Comédiennes obscures, futures gloires, étoiles naissantes, grisettes, illuminaient le salon du Doyenné, les cydalises chantaient pour les garçons comme jadis pour l'enfant Gérard les naïves paysannes. Dans cette ambiance d'amour, de camaraderie, de travail (Théo, Rogier et Houssaye s'imposaient des horaires fixes dont ne les distrayaient pas les parties de plaisir, et étaient à leur poste dès sept heures du matin, en toutes circonstances), Gérard était triste. On le voyait surgir, puis disparaître, entre deux mystérieuses randonnées, coucher à même le sol près du lit tourangeau non garni, encore, de brocatelle. La nuit, il errait, selon l'expression de Maxime du Camp, « comme un chien perdu », dormait sur des bancs, aux Halles, chez le cabaretier Paul Niquet, parfois dans un poste de soldats. Le jour, s'il avait beaucoup erré, il sombrait dans un sommeil profond, dont il était difficile de le réveiller.

Le soir il allait de la maison de son père au théâtre, et sortait du théâtre pour retrouver la solitude de la nuit. Ainsi brûlait-il sa jeunesse, toute de rêverie et d'amour. Pour le docteur Labrunie, c'était l'écroulement de ses espérances : son fils n'avait ni réputation, ni gagne-pain, et il en accusait ses fréquentations, bien à tort. Où en était Gérard, que restait-il de sa gloire de traducteur ? Qu'avait-il fait depuis ? Peu de chose par la quantité : une diablerie villonnesque, la Main de Gloire, une autre, le « Prince des sots », acceptée par l'Odéon, non jouée; une pièce, non représentée, Charles VII. (« Je ne serai rien », dit-il alors rageusement).

8 scènes de la traduction de Faust avaient paru, avec musique de Berlioz. Il avait adapté Han d'Islande ; copié les maîtres, Hugo, Byron, Thomas Moore, Burger, Uhland, Villon, Hoffmann, à qui il empruntera le prénom d'Aurélia. Ce droit de copier, il le défendra avec esprit dans quelques années ; n'empêche, son ambition secrète est de créer, et il n'est encore qu'un suiveur.

Qu'est-il, comparé à ses contemporains, à son cadet Théo ? Tous le distancent rapidement. L'esprit, le charme de Houssaye lui ouvraient déjà les salons ; Théo allait publier Mlle de Maupin, dont Balzac vantait fort le manuscrit. Lui, où était son ambition : « faire autrement que Racine » ? Eh bien, il en serait toujours ainsi : on l'aimait bien, on le disait « distingué », on parlait de lui avec commisération, éloge ou indulgence, comme d'un enfant, ou d'un « demeuré ». Pour la douceur inaltérable de son regard, pour sa gentillesse, son obligeance, sa grandeur, sa générosité, il était le bon petit Gérard. Une réputation confidentielle, une indulgence amusée, est-ce à cela qu'il aura sacrifié les espérances paternelles ?

Douter de la littérature était ce qui pouvait lui arriver de pire : et il douta de la littérature. Et soudain, un jour de spleen, il écouta le conseil de Balzac : pourquoi gaspiller son argent, pourquoi ne pas le « placer » dans une affaire, d'édition bien entendu. L'idée le tenta. Une revue le « *justifierait* ». Dans une revue, il pourrait parler de Jenny.

Ainsi fut fait. Il annonça bientôt une grande entreprise qui déciderait de son avenir, renonça à traduire Heine, monta une société par actions. Le contrat fut signé le 14 avril 1835. Gérard s'assurait les collaborations d'Alphonse Karr, de Frédéric Soulié, de Roger de Beauvoir, de Théophile Gautier, de Dumas, et des illustrateurs, Nanteuil, Rogier, etc. Ainsi naquit le « Monde Dramatique » dont le 1er N° parut en mai : il chantait les louanges de Jenny et le deuxième numéro fit de même.

Grâce à lui, la comédienne fut engagée dès la fin de l'année à l'Opéra-Comique, — ce qui était sa suprême ambition, — et elle y débuta au printemps suivant.

Grisé, Gérard passait toute mesure, allant jusqu'à proclamer la jeune femme « l'avenir de l'Opéra-Comique ». Ne vantant qu'elle, sans prudence, égratignant ses rivales, d'une plume acérée, se riant des méchants auteurs, surtout de Scribe.

Ainsi ouvrait-il la première porte du Labyrinthe où il allait lentement s'enfoncer, où, à chaque fausse issue, il reconnaîtrait les mêmes adversaires, les mêmes « monstres », les mêmes « dragons ». Et il eût pu combattre ces ennemis si le « Monde Dramatique » avait vécu, s'il y avait acquis l'autorité d'un chef de presse, mais le « Monde Dramatique » devait sombrer l'année suivante dans une faillite qui engloutit tout l'héritage du linger.

La ruine de Gérard coïncidera avec l'adieu au Doyenné, à la jeunesse. Car il faudra se séparer ; les meubles Médicis, il faudra les vendre, entreposer chez des amis les bibelots et les souvenirs. Le rire des Cydalises s'éloignera et Cydalise première va s'éteindre entre deux sonnets tandis que Camille Rogier illustre Hoffmann en le lui racontant.

Mais la Roche Tarpéienne... Avant ces séparations, ils donnent rue du Doyenné un bal resté fameux dans les annales du Petit-Romantisme. Le « Bal du Doyenné ». Ils le donnent pour n'être pas en reste avec Dumas, qui avait convié chez lui l'année précédente, au cours d'une fête analogue, les artistes de l'Ambigu, en costumes romains 1830, figurant « Les Romains échevelés de la Bataille d'Hernani ». « Nous tâcherons d'être bouffons », promit Théo en lançant les invitations à tout Paris, promettant « pour 10 F un très bon souper et des beautés... ». Gérard lança une boutade :

« Les gens qui manquent de nécessaire doivent avoir le superflu, sans quoi ils ne posséderaient rien du tout ». Ce fut un peu là sa devise. Et le Tout-Paris fut présent : et ce fut une nuit délirante, une folle sarabande qui se déroula jusqu'à l'aube pour s'achever au Bois de Boulogne, au « Madrid ».

Dans l'allégresse générale, Gérard pourtant restait méditatif : il traversait les groupes sans les voir. Ces demoiselles jouèrent une de ses pièces, d'après Scarron, « Jodelet ou l'Héritier ridicule ». Mais il songeait davantage à une autre pièce, qu'il destinait à une autre artiste : Jenny. Et tandis qu'au petit jour les convives s'égaillaient, il se rendait avec Dumas chez Meyerber pour lui proposer un projet dans lequel « il avait réuni d'un trait de flamme les deux moitiés de son double amour ». Ce projet c'était la Reine de Saba.

Il sortit de chez le compositeur emportant « avec effusion » l'espoir qu'après « Les frères corses » de Dumas, son opéra aurait quelque chance d'avenir lointain.

Il avait déjà écrit le premier acte quand il apprit que le traité entre Dumas et Meyerber était rompu ; que Dumas partait en voyage ; que Meyerber reprenait le chemin de l'Allemagne.

Et « la pauvre Reine de Saba, abandonnée de tous, devint, écrira-t-il, un simple conte oriental qui fait partie des Nuits du Ramadan ».

VI

Chassés du Doyenné par un propriétaire excédé d'entendre danser sur sa tête, la Cydalise ensevelie, Rogier parti chercher l'oubli en Orient, Houssaye installé dans le monde parisien et rue des Beaux-Arts, cultivant des amitiés influentes, Théo et Gérard se retrouvent seuls comme au lycée Charlemagne, seuls et bras-dessus bras dessous. Gérard est ruiné ? Qu'importe, ils ont du courage, Théo a des relations, il est volontiers partageur, ils feront tandem.

Alphonse Karr les associe à la Direction du Figaro. La belle Delphine de Girardin veut que son mari les engage ensemble à la « Presse ». Ils s'intitulent les Dioscures, et signent leurs articles G. G., à l'instar de Janin qui signe les siens J. J. Celui-ci les engage à la rédaction de la « Quotidienne » et veut bien oublier que naguère un jeune insolent nommé Gérard enterra ironiquement son journal :

faute de jeunesse. L'heure est venue des concessions.

Gérard ne peut plus s'offrir le luxe d'être pamphlétaire : il fait l'apprentissage de la souplesse, dont à la longue il s'accommodera peut-être, dont il parle en tout cas avec résignation : commentant cette nécessité dans « Les Confidences de Nicolas », il dira que « Restif n'avait pas le crédit qu'il fallait pour hausser le ton comme Rousseau ». Et qu'il dut à son franc-parler d' « annoncer lui-même ses livres, comme depuis longtemps il était le seul à les imprimer et comme il finit plus tard à être le seul à les vendre ».

Théo, très en forme, enrôle Houssaye dans leur équipe : « O Houssaye de Broyères-sur-Laon (prononcez comme l'an-neuf), nous t'avons incorporé dans la rédaction du Nouveau Figaro. Cent mille francs à dévorer : accours donc bien vite avec tes dents de loup et ta plume de Tolède ».

Gérard est-il aussi heureux que son ami ? Du moins il va se soumettre à toutes les exigences du métier d'écrivain pauvre : polygraphe, il essaiera tout ce qui « paie ». Théâtre, journalisme, roman.

Il n'aime d'ailleurs rien de tout cela : la poésie seule, et la libre rêverie. Il se plaindra du journalisme, « qui ne conduit ni plus haut ni plus loin », et pour savoir ce qu'il en pense il suffit de lire l' « Histoire véridique du canard ». L'Opéra-Comique ? Il hausse les épaules : autant cela qu'autre chose. Quant au roman, il le considère comme un genre mineur.

Mais il est « embarqué », et faute de vendre sa Reine de Saba, pour son compte, il vend sa plume à Dumas et s'en réjouit candidement : « Je suis, annonce-t-il fièrement, au nombre des auteurs dramatiques, j'ai fait avec Dumas un poème d'opéra-comique en trois actes ».

C'est là la nouvelle « grande affaire qui doit assurer son avenir ». Il devra tôt déchanter, car Dumas signera seul la pièce.

Mais c'est débordant de cette illusion qu'il part avec Théo enterrer en Belgique la vie de Bohème.

Théo « tape » joyeusement ses amis, leur promet des romans qu'il n'écrira jamais, s'engage et engage Gérard avec une juvénile désinvolture.

A Renduel, demandant une avance, il écrit : « Monsieur Eugène Renduel est très instamment prié de tenir quelque argent prêt au malheureux Théophile Gautier qui a laissé le sien tomber dans la rivière ainsi que le plus neuf de ses trois vieux chapeaux. Ce sinistre a complètement épuisé ses moyens d'existence.

Gérard est aussi dans la plus grande misère et c'est pourquoi il voudrait vous vendre quelque chose de très drôle fort cher parce que c'est vous, quelque chose qu'il ferait conjointement avec moi. Ce sont les « Confessions galantes de deux gentilshommes périgourdins ». Vous nous donnerez à chacun 600 F, ce qui est fort raisonnable pour une idée aussi neuve et sublime. Nous irons vous adorer ce soir ou demain et contempler au fond de votre officine les rayonnantes splendeurs de votre hure éditoriale et dominotoriale. Ne nous laissez pas mourir sans confession et surtout sans argent ».

Ce garçon de vingt-quatre ans, qui traite d'égal à égal avec l'éditeur à la mode, a le cran d'un adulte. Lui aussi, comme Gérard, il trouvera parfois les concessions amères, et fastidieuses les besognes ; il pestera de devoir vendre la poésie comme du calicot, tant la rime, tant la syllabe ; et les feuilletons le lasseront. Mais quel tonus nerveux il a, quelle santé.

Avec ce joyeux entraîneur, Gérard mène grand train en Belgique : ils boivent « toutes sortes de bierres » (sic), fort drôles, sur le chapitre desquelles Gérard sera toujours fort éloquent. « Le faro, l'ale et le lambic, bierres dont on n'a pas idée... De véritables vins du nord, qui égaient et grisent plus vite que le vin lui-même. Les bières impériales d'Autriche et de Bavière n'ont aucun rapport avec ces nobles boissons ». Mais le régime qui réjouit Théo désaxe Gérard qui n'est pas fâché de jouer les « aînés », un peu comme ces enfants qui ont honte d'être les plus petits, plaisante avec trivialité : « J'ai, écrit-il, un grand succès dans ce pays où j'éclipse totalement mon jeune ami Gérard quoique... Gérard soit toujours dans un état alarmant d'érection et marche la lance en arrêt comme s'il allait jouer à la quintaine. Gérard semble incohérent et se fait mettre à la porte de partout à cause de son priapisme ». Si ces gaudrioles ne nous donnent qu'une idée fausse de Gérard, par contre elles nous donnent une idée exacte de la façon dont le traitent ses amis, ces petits coqs.

On rit sous cape, non point du priapisme de Gérard mais de sa chasteté, dont ceci n'est qu'une caricature. Elle délie langues et plumes. Pour le gosse qu'est encore Théo, quelle belle occasion de mettre son charme en valeur : Gérard n'est que le « repoussoir » du petit coq.

Qu'est, en réalité, cette conduite incohérente ? Gérard n'y fera qu'une discrète allusion. Les « nobles boissons » lui ont donné certaines fièvres : « Je me souviendrai, dit-il, des fièvres de Belgique ». Il emploie volontiers ce mot passe-partout : la fièvre dont ma mère est morte, dit-il ailleurs, m'a saisi trois fois, à des époques qui forment dans ma vie des divisions régulières, périodiques ». Or sa mère est morte du choléra, qui ne l'a bien entendu jamais « saisi », lui, et son mal l'a frappé bien plus que trois fois : mais il n'en est plus aux défis, comme le « Cabaret de la mère Saguet » : alité, diminué, il a honte aujourd'hui, il dissimule par pudeur et stylise par besoin de beauté.

Couvant cette « fièvre » mystérieuse dans une chambre d'hôtel, bientôt il en a raison : alors il se remet au travail, crie victoire, écrit allègrement la pièce dont Dumas va s'emparer.

Puis, quand Dumas la revendiquera sous des prétextes fallacieux, il refoulera sa déception : hélas non, ce n'est pas cette année encore qu'il sera compté au nombre des auteurs dramatiques.

Mais on lui fait une concession : puisqu'il tient tant à ce que Jenny Colon ait le grand rôle, soit, on sacrifiera la grande Damoreau, à qui Dumas le destinait. Et comme Gérard plaide pour Jenny, « une vraie Silva ».

« Mais qui est donc votre Silva » ? s'impatiente Dumas.

Silva, c'est l'obsession de Gérard, c'est la « Dame » de « Fantaisie »,

« *c'est une image trop chérie*
« *qui revient et que j'avais fuie...*

Dumas donc revendique cette Silva déjà si nervalienne ; annonciatrice d'Adrienne. Et non seulement il fit cela, mais pire, Piquillo fut un four. Il ne tint l'affiche que trois semaines. Cette pièce malheureuse donna du moins à Gérard l'occasion d'approcher Jenny et de lui dire, dès le premier soir, son amour. De l'histoire de cet hiver 1837-1838 qui se termina par une rupture, il reste peu de traces : car dans Sylvie, dans Aurélia et dans l' « Illustre Brisacier », Gérard y fait des allusions très transposées, qui ne coïncident pas entre elles, son dessein n'étant pas de nous en faire confidence. Y a-t-il plus de littéralité dans les lettres qu'il fit paraître dans « Octavie », la « Sylphide », l' « Artiste » ? et dont il eût voulu composer un roman sous le titre « Un roman à faire », « un roman de moins à lire et un de plus à rêver... » ?

Lettres d'un sentiment admirable, et d'une forte expression, écrites par un être sensible et humble, qui demande peu, donne beaucoup, et, repoussé, se repent de ses exigences, confesse sans cesse ses torts, reconnaît son indignité. Qu'est-il pour faire des reproches, qu'est-il pour aspirer à l'amour ? N'est-il pas assez heureux quand il rencontre le regard, touche la main de Jenny ? (Et ce simple contact, il le redira dans « Aurélia », dans « Sylvie », il le redira dans ses Notes, il redira la poésie des mains qui se touchent « le soir quand on n'a pas encore allumé, près d'une fenêtre... »).

Parfois, avec l'illogisme de la passion, il veut être le plus aimé, il croit l'être. Le lendemain il est tout assuré du contraire, sans nul espoir qu'elle l'aime un jour. Cette oscillation entre doute et espérance a « dévoré sa jeunesse ». Il souffre tant qu'il lui suffit de quelques lignes pour dire comment l'amour malheureux nous coupe de tout bonheur, de toute vie, de toute beauté, de tout spectacle, de tout plaisir.

Or Jenny aime le régisseur de la troupe, le pâle flûtiste Leplus, qui « lui avait rendu des services », et Jenny était fort sensible aux services.

« Ne m'accusez pas de l'avoir fait souffrir, aurait-elle pourtant dit à Gautier ; quand celui qui aime est muet, celle qui est aimée est sourde ».

Jenny épousa son flûtiste au printemps de 1838 et Gérard fit ce que font tous les amants déchirés : il fuit le lieu qui l'avait vu souffrir.

Renonce-t-il pour cela à Jenny ? Pourquoi renoncerait-il à ce qu'il n'aima jamais d'un amour de possession ? Il continua à chanter ses louanges, à lui inventer des rôles, à lui destiner toutes les incarnations de son rêve.

« L'homme, a-t-il écrit dans l'Imagier de Harlem, a trois protecteurs : le génie, la patience et le travail ». C'était là sa force, quand il décida d'abandonner pour un temps la « Presse », Théo, la sécurité monotone et ennuyeuse, pour tenter en Allemagne l'oubli de la douleur et une inspiration nouvelle.

Il n'était pas encore fort différent alors du Jeune-France de 1830. Fils de héros, il avait besoin de noblesse. Fils de « maître » maçon, il était le frère des membres des sociétés secrètes.

Et 1838 était proche encore de certaine année 1827 où il s'était tourné vers l'Allemagne, là où un « Jeune-Allemagne », Karl Sand, assassinait selon les uns, exécutait selon les autres, Kotzebue, le clerc vendu, le clerc traître, passé, avait-on dit, aux mains d'une puissance étrangère. Quel beau thème que ce drame de la liberté de conscience. Gérard voulut sur place s'informer de la tragédie de Mannheim. Il résolut d'entendre des témoins l'entretenir de ce jeune héros qui avait eu vingt ans avec lui, décapité dont on s'était arraché les reliques, cheveux, portrait, bois de sa guillotine, et jusqu'à son sang disputé à l'herbe qui le buvait.

Il s'ouvrit de son projet à Dumas qui l'approuva ; ils décidèrent de travailler ensemble, de se retrouver en Allemagne, d'en rapporter des scénarios.

Dumas s'en fut en estafette.

Gérard partirait par Strasbourg où, deux ans auparavant le fils de la reine Hortense avait raté son premier coup d'Etat.

VII

Ce fut un vrai voyage de troubadour.

« Il faut cinq jours pour venir en s'amusant convenablement, lui écrit Dumas, déjà au travail à Francfort, tâchez de n'en mettre que quinze. J'apprends par Harel qu'il vient de vous compter 1200 livres ; en supposant qu'il ait menti de moitié, c'est 600 que vous devez posséder. Je connais votre manière de voyager : avec 600 F vous feriez le tour du monde ».

Mais Gérard n'avait pas attendu un instant pour écorner son petit pécule et il n'aime guère qu'on lui donne sur les ongles, aussi répond-il vertement : « Depuis deux jours il passe bien de l'eau sous les ponts et bien des pièces d'or par les mailles d'une bourse. N'importe, je pars... ». Il part mais n'arrive pas et, bloqué à Strasbourg, faute de « nerf de la route », il doit appeler Dumas au secours.

« J'ai vidé ma bourse de voyageur ; non, je

n'ai pas été dépouillé ni par le jeu ni par les voleurs ni par les femmes ; j'ai bien vécu, voilà tout ».

Baden le retient par l'exquise poésie, le décor presque factice de la Forêt noire ; par son luxe indolent, ses salles de jeux, ses bals de plein air où sous la brise nocturne qui fait palpiter les rideaux tournoient de blanches épaules féminines. Le matin il est réveillé par des aubades. D'abord il est « fou-fou », et dort « sur plusieurs oreilles » malgré l'impécuniosité. Mais ensuite il s'inquiète : l'argent de Dumas n'arrive pas, les fourgons postaux chargés de l'apporter sont lents et voyagent par petites étapes. En attendant, il pousse jusqu'à Lichtenthal, sorte de Longchamp badois, échelonné de couples, de coupés, d'amazones et de cavaliers. A Lichtenthal, on vient, dit-on, « guérir des grandes amours, on y passe, ironise-t-il, un bail de 3, 6, 9 avec la douleur... »

Il y visite un étrange couvent de religieuses augustines, sorte de « chartreuse riante », cloître d'héroïnes de petits romans, « où les prières sont des cantates et les messes des opéras » ; il est, malgré son sens critique, sous le charme ; c'est là peut-être que pour la première fois il ébauche ou conçoit le personnage d'Adrienne, chantante apparition, vierge inspirée.

Il a visité « l'église gothique neuve, d'un

pompadour exorbitant, dont les chapelles sont des boudoirs », et dont il fait dans Loreley une description ravissante ; il s'est attardé devant deux squelettes de moines, « bien nettoyés, chevillés en argent, couchés sur un lit de fleurs artificielles, de mousse et de coquillages, couronnés d'or et de feuillages, une collerette de dentelles autour du cou, chaque côte garnie de velours rouge brodé d'or, les tibias sortant d'un haut de chausse du même velours à crevés de soie blanche », et il s'est dit, devant « cette tentative de rendre la mort présentable et presque coquette », qu'il est « impossible de la mieux dépoétiser et de railler plus amèrement l'éternité ». Quand un chant sacré, s'élevant de lèvres féminines, fait frémir le mélomane et le mystique :

« Maintenant résonnez, notes sévères du chant d'église, notes larges et carrées qui traduisez en langage du ciel l'idiome sacré de Rome... Voix inspirées des saintes filles, élancez-vous entre le chant de l'ange et le chant de l'oiseau ».

Il entendit alors la messe, puis « les chants s'interrompirent et les sœurs augustines descendirent d'une sorte de grande soupente, établie derrière l'orgue et masquée d'une grille épaisse. Ensuite on n'entendit plus qu'une seule voix, qui chantait une sorte de grand air, selon l'ancienne manière italienne. C'étaient des traits, des fioritures incroyables, des broderies... et cela sur une musique du temps de Pergolèse tout au moins. Vous comprenez mon plaisir : je ne veux cacher à personne que cette musique, ce chant, m'ont ravi au troisième ciel ».

Arrêtons-nous ici ; ouvrons « Sylvie » et « Angélique » : Adrienne et Delphine chantent aussi à la manière italienne, avec « des fioritures infinies », des broderies, sur une musique qui est peut-être de Porpora.

« Après la messe, poursuit-il, je suis monté au parloir. Malheureusement je n'avais aucune religieuse à faire venir et je me suis contenté de voir passer deux jeunes novices bleues qui portaient du café à la crème à Mme la Supérieure : là s'est arrêté mon roman ».

Dans « Sylvie » il fondra en un seul ces éléments de délices, et Adrienne sera cette voix inspirée à peine portée par un corps. Elle sera cette religieuse qui est le leit-motiv de sa rêverie : Polia, ne pouvant épouser Francesco, se fait religieuse ; la mère adultère du « Marquis de Fayolle » choisit le cloître ; Silva est une veuve inconsolable, elle prend moralement la bure ; Angélique fait pénitence ; Adrienne enfin, à peine a-t-elle touché la main du petit

Parisien, qu'elle s'enfuit vers le couvent, où elle mourra.

Après ce haut moment musical, Gérard connaît encore quelques mésaventures entre l'hôtel du Corbeau et l'hôtel du Soleil, à Strasbourg : il met son manteau neuf en gage, reçoit de Dumas une traite qu'il lui est impossible de toucher, mais enfin une nuit il remonte enfin le Rhin, accompagné de l'image d'une Loreley aux cheveux d'or : et voici qu'un oiseau lui parle : « Vous voyez bien, lui dit-il, que votre oncle avait eu soin de faire son portrait. Maintenant elle est avec nous ».

Ainsi nous devinons que Gérard souffrit de la négligence des siens qui n'avaient pu lui montrer aucune image de sa mère morte.

La solitude de Gérard, durant ce voyage, est une solitude heureuse : le Rhin est son ami, (un Rhin tout imaginaire, car pour le véritable Rhin, il le remonte de nuit, il le voit à peine, on se lasse si vite « d'admirer au clair de lune cette double série de montagnes vertes que la brume argente »).

Mais si le paysage l'impatiente, il y voit une Loreley livresque et toute picturale, qu'il transportera partout avec lui, qu'il magnifiera dans « Aurélia », la Loreley des peintres et de son ami Henri Heine ; à Heidelberg un soir il croira reconnaître certain voyageur au pas lourd, à redingote, suivi de certain petit chien ; en pleine forteresse du romantisme, il peut s'adonner à temps plein à ses rêveries ; sous les frondaisons du parc de Mannheim, il perçut certainement le chant de ralliement des Jeunes-Allemagne, cette « Chasse de Ludzow » de Weber qui de loin les appelait au rendez-vous de la mort ; et s'il dit n' « avoir jamais beaucoup affectionné l'héroïsme » du jeune Sand, c'est là une précaution qu'il prend envers la censure : il pleure l'héroïsme de ses pères, ce fils d'une génération sans gloire, et il ne sera que trop ému, trop heureux, de rencontrer sur place un médecin allemand qui avait été étudiant avec Sand et lui parlera de l'idole.

A Francfort il trouva Dumas confortablement installé dans une maison de campagne, servi par une accorte Allemande, fêté, sollicité, acclamé, idolâtré. Il en était réduit à travailler la nuit ; allait-il au spectacle, les acteurs n'avaient d'yeux que pour lui et le saluaient dans sa loge comme si c'eût été une loge royale. C'est dans cet illustre sillage que le poète effacé fit le tour des salles de rédaction et de nouvelles connaissances : entre autres le cabaliste Weill, et Bertrand, directeur du journal français de Francfort, homme-lige de Louis-Philippe, gros propriétaire impressionnant.

C'est lui qui le premier souffla à Gérard l'idée d'une mission diplomatique à Vienne, où il le recommanderait à son ami M. de Metternich. Dumas poussa à la roue mais Gérard repoussa la tentation : c'est à Paris qu'on fait carrière, l'idée de devoir quoi que ce soit à M. de Metternich ne lui souriait pas. S'il acceptait un jour quelque mission, elle serait provisoire et toute littéraire : recherches pour ses feuilletons, dépistage de bons traducteurs, qui manquaient en France. S'il acceptait, il ne ferait à Vienne qu'escale, sur la route de l'Orient...

Ainsi germa un projet vague tandis qu'il songeait à son héros, Karl Sand, qui allait devenir Frantz et qui, au lieu de tuer, se tuerait, pour avoir été « trop abaissé » par la femme aimée et par son mari.

Il voulait aussi traduire et adapter pour la scène une œuvre de Kotzebue : une histoire d'adultère au terme de laquelle la femme coupable se repentait : rôle qu'il destinait à Jenny.

Enfin il écrivit avec Dumas une pièce, l' « Alchimiste », où il mit beaucoup du sien.

La « Renaissance » venait de rouvrir ses portes sous la direction d'Anténor Joly, avec au programme un triomphe : Ruy Blas. Anténor Joly accepta d'abord Léo Burckart et l'Alchimiste, puis se ravisa : Ruy Blas devait poursuivre sa lucrative carrière, on ne pourrait donner qu'une des pièces des deux auteurs, laquelle ? On sacrifia Gérard qui, de bonne grâce, signa un accord à l'amiable : « Nous nous engageons, Gérard et moi, malgré la réception d'Anténor Joly, à ne pas exiger la représentation de Léo Burckart ».

Gérard, après cinq mois de nouvelles démarches, plaça sa pièce à la Porte St-Martin, où le directeur, Harel, qui avait déjà mis au tiroir deux de ses pièces, accepta enfin celle-ci.

Mais la censure fit perdre du temps encore, puis Harel lésina si bien sur les frais de la mise en scène, allant jusqu'à sacrifier des décors tout entiers, entre autres celui de la Ste-Vehme, qu'il fallut refaire tout le drame. Gérard fut beau joueur : et dit savoir gré aux obstacles qui l'avaient obligé à ce remaniement. Il les fit avec modestie, soutenu par Théo, qui lui prédisait l'avenir d'un Goethe ou d'un Hugo. Puis on joua et il se crut lancé. Quand un vieil étudiant allemand, sur scène, jeta, à la chute du rideau, cette réplique : « Les rois s'en vont, je les pousse », la salle croula sous les applaudissements. La censure alors, qui n'avait vu dans la pièce qu'une « chose très allemande de caractère plus esthétique que politique » dressa l'oreille et interdit la pièce après quelques représentations.

La même semaine que « Léo », « l'Alchimiste », signée par Dumas seul, et que Gérard poussera la résignation jusqu'à appeler un jour « votre pièce », commençait à la Renaissance une carrière, sinon brillante, du moins sans encombre. Dumas la dédiait à sa compagne, Ida Ferrier, qui avait le rôle principal :

« *L'aurore en s'éloignant ordonne à la prairie*
de parsemer de fleurs l'herbe qu'elle perla.
L'aurore à son retour trouve l'herbe fleurie.
Et vous, vous m'avez dit de votre voix chérie :
Faites vite ce drame pour moi.
Le voilà ».

On voit que les scrupules ne gênaient pas Dumas. Quant à Gérard, il acceptait tout, par timidité.

Se défendre ? Il n'y pouvait songer : les mots se seraient arrêtés dans sa gorge. Il ne pensait qu'à écrire, à mieux faire, pour être enfin accepté. A Anténor Joly qui avait refusé Léo, il promet un « dédommagement », « Dolbreuse », qu'il ne finira jamais.

Et l'on pourrait croire qu'il est réellement dupe, si un aveu ne lui avait échappé, fortuitement : comme Auguste Maquet allait par son intermédiaire faire la connaissance de Dumas, et que, pour débuter dans sa carrière de

« nègre », il devait remplacer un autre nègre défaillant, Gérard lui donna ce conseil :

« Nécessairement, Lockroy signera avec toi. Mais tu sais que ce n'est qu'un début. J'ai été forcé d'acepter bien pis encore, puisque je n'ai été nommé d'aucune façon ».

Maquet s'insurgea, Lockroy ne signa pas avec lui, il signa seul et s'imposa à l'auteur des *Trois Mousquetaires.* Mais Gérard n'aurait jamais eu la force de s'opposer ouvertement, de s'imposer ainsi. Son père avait maté en lui toutes velléités de rébellion.

« *Cette chanson d'amour qui toujours recommence* »

(Les Chimères)

VIII

Gérard tenta de « tenir le coup ». Il prit contact avec un autre collaborateur, Henri de Saint Georges, dans le but d'écrire à deux une pièce sur le thème du magnétisme, mais, outre que Saint Georges fit du scénario maintes critiques, Gérard ne put obtenir des théâtres parisiens que des promesses à long terme : on le jouerait, oui, peut-être, mais ce serait, au mieux, l'hiver de l'année à venir.

Cete indifférence générale et ces atermoiements allaient, selon son expression, le « rejeter au bout de l'Europe ». Il se souvint des suggestions de Charles Durand à Francfort, de Dumas lui-même ; Harel, le directeur de la Porte St-Martin, comme lui lésé par la suppression de « Léo », l'encouragea à son tour à solliciter une mission à Vienne, en Orient peut-être. Hugo appuya sa démarche. Ainsi obtint-il réparation : 1200 francs à toucher en deux fois, 600 francs au départ, 600 au bout du premier mois de séjour. Il partit, se berçant de l'espoir qu'après ce premier mois il y en aurait d'autres. « Me voici, déclara-t-il avec son bel optimisme, au grand moment de mon existence ».

Mais son séjour commence fort mal : le 19 novembre, arrivant à Vienne, que lui reste-t-il ? 150 francs. Il est en outre plein de mélancolie. Cela « ne va pas ».

« C'est une impression douloureuse, écrit-il à propos de ce voyage « aller », à mesure qu'on va plus loin, de perdre ville à ville et pays à pays tout ce bel univers qu'on s'est créé jeune par les lectures, par les tableaux et par les rêves. Le monde qui se compose ainsi dans la tête des enfants est si riche et si beau qu'on ne sait s'il est le résultat exagéré d'idées apprises ou si c'est un ressouvenir d'une existence antérieure et la géographie magique d'une planète inconnue. Si admirables que soient certains aspects et certaines contrées, il n'en est point dont l'imagination s'étonne complètement et qui lui présentent quelque chose de stupéfiant et d'inouï ».

A Constance même déception. Le rêveur accuse le réel, le Français juge la terre étrangère, l'adulte regrette l'enfance.

« Notre vie entière se passe à rechercher des

impressions d'enfance ». « J'ai cherché, je l'avoue, cette cathédrale bleuâtre, ces places aux maisons sculptées, ces rues bizarres et contournées et tout ce moyen-âge pittoresque dont l'avaient douée poétiquement nos décorateurs d'opéra ; eh bien tout cela n'était que rêve et invention. A la place de Constance imaginez Pontoise et vous voilà davantage dans le vrai».

C'est que Pontoise, c'est à la fois l'enfance et le pays natal : avec « son magasin de nouveautés parisiennes s'éclairant auprès de l'église, et ses demoiselles vives et rieuses », qu'il esquisse d'un trait cursif dans « Promenades et souvenirs ».

Munich aussi le déçoit mais il s'y attarde. Elle manque d'huîtres et de poissons de mer et il ne faut pas parler de ses bières à ceux qui ont bu les bières anglaises et belges », mais il croit s'y trouver sur ces « planètes inconnues » dont l'ont entretenu ses auteurs : Lucien et Rabelais, Merlin Coccaie et Swedenborg. C'est le pays de Romancie dont les habitants sont des personnages de romans ; c'est l'île de portraicture dont les habitants sont tous peintres ou marchands de tableaux, de sorte qu'on y croise l'Ange de la Mélancolie de Dürer et la Judith de Caravage ; c'est l'étoile a-politique de Swedenborg, c'est la lune où l'on retrouve les objets perdus, pour lui ce sera l'étoile de

Romancie. Il s'attarde plusieurs jours dans cette « étoile extravagante », le temps d'y vider sa bourse, et prit enfin le chemin de Vienne, lesté de trois lettres de recommandation. L'une pour M. de Metternich, la deuxième de Janin pour Marie Pleyel, la « déesse du piano », la troisième pour un écrivain viennois. Il est mortellement triste. « Malheur, dans cette ville fortunée, s'écrie-t-il, au pauvre, au rêveur, au passant inutile ». Là il se sent poète, et poète étranger.

Si Marie Pleyel arrivait à Vienne précédée par une réputation de charme et de talent, si on la disait entourée de princes et de grands artistes, conduite au piano par Lizst lui-même, son compagnon de voyage, lui-même était peu présentable, sans habits de gala, et même sans souliers, puisqu'avant de quitter Paris, il avait « emprunté », c'est-à-dire pris, en son absence, les bottes de son ami Ourliac, qui « remplaçaient avantageusement les siennes ».

Dans son désarroi il fit une chose inaccoutumée : il demanda à son père un prêt minime. Comme il prévoit les objections paternelles il les réfute d'avance : « Les jeunes gens, écrit-il, qu'une malheureuse ou heureuse vocation pousse vers les arts ont en vérité beaucoup plus de peine que les autres par l'éternelle méfiance qu'on a d'eux. Qu'un jeune homme adopte le commerce ou l'industrie, on fait pour lui tous les sacrifices possibles ; on lui donne tous les moyens de réussir et s'il ne réussit pas on le plaint encore. L'avocat, le médecin, peuvent être fort longtemps médecins sans malades ou avocat sans causes, qu'importe, leurs parents s'ôtent le pain de la bouche pour le leur donner. Mais l'homme de lettres, lui, quoi qu'il fasse, si haut qu'il aille, si patient que soit son labeur, on ne songe même pas qu'il a besoin d'être soutenu aussi dans le sens de sa vocation et que son état, peut-être aussi bon matériellement que les autres — du moins en notre temps — doit avoir au moins des commencements aussi rudes. Je comprends tout ce qu'il peut y avoir de déceptions, de craintes et peut-être de tendresse froissée dans le cœur d'un père ou d'une mère ; mais hélas, l'histoire éternelle de ces sortes de situations, consignée dans toutes les biographies possibles, ne devrait-elle pas montrer qu'il existe dans ces sortes de cas une destinée qui ne peut être vaincue ? Il faudrait donc après une épreuve suffisante, après la conviction acquise d'une capacité suffisante, en prendre son parti des deux parts et rentrer dans les relations habituelles, dans la confiante et sympathique amitié qui règnent d'ordinaire entre pères et enfants déjà avancés dans la vie ».

Outre que le docteur Labrunie, par un malheureux concours de circonstances, ne lut pas le contenu de cette lettre, il n'aurait sans doute pas prêté d'argent au troubadour, obstiné qu'il était, de son côté, dans ses préventions et dans sa jalousie. Car de la ruine de son fils, il accuse encore ses amis. Gérard relève le gant, les défend âprement : « Je suis étonné de te voir accuser mes amis ; mes amis, ce sont Théophile qui m'a fait gagner 250 fr. par mois pendant deux ans en me faisant, à la Presse, le collaborateur de son feuilleton ; qui m'a fait connaître M. Lingay, auquel je dois ma mission ; c'est Alphonse Karr, qui m'a fait gagner jusqu'à 400 fr par mois au Figaro ; c'est M. V. Hugo qui m'a été utile dix fois, c'est Alexandre Dumas qui m'a fait gagner 6000 fr avec Piquillo, lesquels m'ont permis d'acquitter une partie de ce que je devais, et depuis, 1200 fr avec l'Alchimiste.... »

Sans réponse donc et dépourvu, Gérard parcourt Vienne incognito. Dans la Pandora et dans les Amours de Vienne, il en exprime la poésie, « versant ses plus douces larmes et les plus pures effusions de son cœur dans les allées de l'Augarten, sous les bosquets du Prater, attendrissant de ses chants d'amour les biches timides et les faucons privés, promenant ses rêveries sur les rampes gazonnées de Schœnbrunn, adorant les pâles statues de ces jardins sur lesquels veillent les « Chimères », respirant partout l'odor di femina ; puis s'aventurant pour atteindre la ville pauvre dans de longues allées tristes, avec leurs lanternes qui s'entrecroisent jusqu'à l'horizon, leurs peupliers frissonnants sous le vent continuel, les canaux aux eaux noires », fréquentant les filles faciles et les « bals négligés »...

Voici sa vie : « tous les matins je me lève, j'échange quelques salutations avec des Italiens qui demeurent à l'Aigle noir, ainsi que moi ; j'allume un cigare et je descends la longue rue du faubourg de Léopoldstadt ; aux encoignures donnant sur le quai de la Vienne, petite rivière qui nous sépare de la ville centrale, il y a deux cafés où se rencontrent toujours de grands essaims d'Israélites au « nez pointu » selon l'expression d'Henri Heine... Il est bon, le matin, de prendre un petit verre de kirschenwasser dans l'un de ces cafés ; ensuite on peut se hasarder sur le pont-rouge ; arrêtons-nous sur le glacis pour lire au coin du mur les affiches de théâtre..., etc. Une fois décidé sur l'emploi de ma soirée je traverse le pont-rouge et je me dirige à gauche vers un certain Gastoffe, où les vins de Hongrie sont de bonne qualité. Le tokaier-wein s'y vend à raison de six kreutzers la choppe... »

Au milieu de la place centrale de Vienne il y a un magasin dédié à l'archiduchesse Sophie, qui lui rappelle ses jeunes amours et c'est à l'occasion de cette image qu'il parle pour la première fois, en prose, de celle qui deviendra Adrienne :

« Pardonne-moi d'avoir surpris un regard de tes beaux yeux, illustre archiduchesse, dont j'aimais tant l'image peinte sur une enseigne de magasin ; tu me rappelais l'Autre, rêve de mes jeunes amours, pour qui j'ai si souvent franchi l'espace qui séparait mon toit natal de la ville des Stuart. J'allais à pied, traversant plaines et bois, rêvant à la Diane valoise qui protège les Médicis ».

Novembre passe ainsi mélancolique. Sans habits, de quoi lui servent ses recommandations ? D'ailleurs, même recommandé, même s'il était bien habillé, on le décourage : l'écrivain viennois, illustre en France, n'est dans son pays qu'un fonctionnaire obscur, amer, pessimiste, qui « douche » le voyageur : « De quel droit, lui dit-il, irions-nous, pauvres poètes, briller parmi les princes et les banquiers ? » Que Gérard l'en croie, et se présente en qualité de simple touriste. Gérard sort de chez lui attristé, ayant vu « comment les écrivains allemands les plus illustres méconnus et asservis, traînent dans des emplois infimes leur majesté dégradée ».

Enfin Alexandre Weill sortit le voyageur de peine : ce nouvel ami séjournait à Vienne en qualité de secrétaire de Bériot. Il rencontra sur les rives du Danube Gérard qui y faisait, découragé, sa promenade quotidienne. Songeait-il à mourir, comme Weill le laissa entendre ? Il l'introduisit sur-le-champ dans la presse locale, à raison de 150 F les 6 colonnes. Après une première nuit blanche, Gérard toucha dix florins. Puis il fallut, sur son travail, donner la moitié au traducteur, la censure le retint parfois, parfois même le supprima. Mais enfin, il était hors d'embarras et aux approches de Noël, en mesure de paraître dans les salons de l'Ambassade où régnait la belle pianiste. Il y pénétra doucement, à sa manière humble et penchée, sans se faire annoncer, se plaça silencieux dans un angle obscur, mais enfin, M. de St-Aulaire l'ayant aperçu prononça à son propos le nom de Janin, et il lui fallut bien surmonter sa honte (lisons sa timidité). Alors ce fut une griserie, un malentendu navrant dans sa vie de mal-aimé. Il crut, ce premier soir, que l'artiste si courtisée, qui se montrait gentiment ravie de bavarder avec un ami de Janin, le préférait aux ducs et aux princes. Il sortit de là tout étourdi. « Tout est en fête », les sapins « courent les rues ornés de bonbons, de bougies, de fleurs et de clinquant, et tout cela est allemand au possible. Il se sent devenir viennois, il est tout plaisir, toute paresse ».

« Un nouvel amour se dessine déjà sur la trame variée des deux autres ; adieu, forêt de St-Germain, bois de Marly, chères solitudes. Adieu aussi, ville enfumée qui t'appelais Lutèce et que le doux nom d'Aurélia remplit encore de ses clartés ».

Oublie-t-il Jenny ? Non. Jenny appartient à un autre. Gérard ne lui doit rien, rien que son amour qui ne se reprendra pas, il doit nulle fidélité.

Rappelons-nous sa douleur et ses plaintes : « J'ai tant souffert, je vous aime tant ». Il croit tenir enfin le bonheur ; pas longtemps, car Marie s'étonne, s'alarme, lui ouvre les yeux.

« Après une soirée où elle avait été tout à la fois naturelle et pleine d'un charme dont tous éprouvaient l'atteinte, je me sentis épris d'elle à ce point que je ne voulus pas tarder un instant à lui écrire. J'étais si content de sentir mon cœur capable d'un amour nouveau ! »

Pourtant, la lettre partie, il croit « avoir profané ses souvenirs ».

C'est que son amour pour Jenny n'est pas mort, et bientôt, avec l'aide de Marie, il en conviendra : la conclusion est un bref aveu à Théo : « Je t'avouerai que cela a mal fini ». C'est Jenny « qui tient, qui tiendra toujours, aux fibres les plus douloureuses de son cœur ».

Dans « Aurélia », il est plus explicite : « Mes confidences attendries eurent pourtant quelque charme et une amitié plus forte dans sa douceur succéda à de vaines protestations de tendresse ».

Résignation encore et illusion encore : cette amitié n'eut pas la force qu'il lui prête. Pour Marie l'incident est clos. Quand elle parlera à Janin, son intime, de ce « feuilletonniste anonyme et ignoré » qu'il est aux yeux du critique, ce sera avec une bienveillante indifférence. « Ce bon petit Gérard, ce doux poète dont l'âme est incapable de rêver une méchanceté ».

Mais il la revit chaque jour dans les salons privés de l'Ambassade et peut-être ne se résignera-t-il pas non plus aussi facilement qu'il s'en flatte. On joue des charades et le vagabond arrive parfois en retard ; on le lui fait observer. Son malaise est grand au sein de cette « gentry » germanique, sous les regards d'une élite où l'on n'est guère prisé si, à défaut d'être marquis, on ne s'appelle au moins Alexandre Dumas. Il croit que la jeune femme se rit de sa gaucherie, le « thé esthétique » l'ennuie ;

pour échapper à cette contrainte, lui que torture toute contrainte, il se précipite en sortant à la Taverne des Chasseurs, où il fraternise avec les magyars, à l'instar d'Hoffmann qui « ne dédaigne pas d'apparaître au cabaret en habit de gala et d'y retrouver une pauvre petite créature nommée petite bière ». Cette « petite bière », son alliée, avec quelle tendresse il en parle, ce timide... Ainsi, ballotté du palais à la taverne, il fait de nombreux cauchemars, dont la transcription donnera ce poème très surréaliste qu'il a intitulé « La Pandora ».

Ainsi s'achève aussi, pianissimo, leur brève rencontre. Ils ne se reverront qu'une fois, à Bruxelles, et sans équivoque possible : car le hasard les réunissant en présence de Jenny Colon, Marie jouera le rôle de médiatrice entre les jeunes gens.

IX

On ne prolongea pas sa mission à Vienne. On ne l'envoya pas en Orient. Et même on ne prit pas la peine de le rapatrier. Avait-on eu vent, à Paris, de ses séjours à la Taverne, peu compatibles avec les qualités de diplomate ? Sans doute.

D'abord il sollicita le maintien dans la place, en lettres longues, avec force arguments. Il désirait cette fois une « mission » permanente, dont il énumérait les bienfaits pour la France ; et qui eût assuré sa vie matérielle. « S'il était possible que l'on reprît l'idée de me faire une position régulière... » suggère-t-il. Puis il se résigna, plia bagage 250 F en poche : « Je crevais de faim et suis revenu à pied », écrira-t-il à son ami Stadler.

Pour d'autres, moins intimes, il crâne : feint de trouver à son goût ce voyage par petites étapes dans ces forêts que Schumann parcourut si souvent. Lorsque le vin est bon il est tout guilleret. Il fait ainsi pendant trois jours dix lieues par jour, relançant les journaux qui lui doivent sur sa copie, amorçant de nouvelles besognes.

Il avait fui Paris chassé par l'indifférence et parce qu'on le renvoyait à un prochain hiver ; or il approchait, cet hiver-là, c'en était fait d'une saison encore. A Strasbourg il retrouve ses souvenirs. Mais non plus l'insoucieux sommeil « sur plusieurs oreilles » du troubadour désargenté. Ici il dépose son sac, il n'en peut plus, c'en est fini du voyage pédestre ; si d'urgence on veut bien lui envoyer des arrhes, il voyagera à crédit, et à Paris traînera après lui le garçon des messageries Laffitte ; qu'on dépose en son nom l'argent nécessaire chez une concierge ; il est plein d'optimisme : « A Paris vont luire des jours plus doux », « il touche le sol de France avec autant d'enthousiasme qu'il l'a quitté l'an passé ». « Qu'on tue un veau ». Il se réjouit de retrouver Théo et ses amis ; de Strasbourg, où l'on préparait des fêtes pour l'inauguration de la statue de Gutenberg, lui rappelant ce Faust qu'il veut écrire « sans imiter Goethe l'inimitable », il dit au directeur de l' « Artiste » en lui envoyant « Les amours de Vienne » : « Ce sera la seule chose que je ferai pour les journaux de longtemps, car je vais employer ce printemps à faire une grande pièce ».

O saisons, ô châteaux !

Mais ce Paris printanier qui illumine en l'honneur de Grisi et va vivre les songes de Gautier et de Heine, Giselle, la Péri, — et tandis que Théophile à son tour nanti d'une « petite mission de fantaisie » est reçu en triomphateur dans les salons madrilènes, — rien de bon n'attend Gérard. Un bruit court, lancé par une comédienne, repris par une revue. Et Mérimée lui a donné un tour méprisant : « Monsieur de Walewski a-t-il chuchoté, fait jouer une pièce *par un monsieur Gérard, auteur de Léo Burckart* ». Ce « potin de la Commère » a bien entendu fait le tour des salons, où Gérard est d'ailleurs presque totalement inconnu.

Et le nouveau printemps lui fit faux bond comme tous les autres : il l'employa à remplacer Théophile à la « Presse », et dormit dans son appartement.

Des besognes, il en fit plus que jamais : Nègre de M. de Walewski, nègre de certaines femmes de lettres, voire leur agent littéraire, il réussit pourtant ce tour de force de venir à bout en un mois d'été, — tout en ébauchant les « Illuminés », — de la traduction du second Faust et de le préfacer magnifiquement. Ce fut un nouveau Manifeste de la poésie que ce commentaire de Goethe. Jadis il s'était écrié : « Puisque nous ne pouvons perfectionner Racine, faisons donc autrement ». Aujourd'hui il donne le « comment cet autrement ».

« Quelle forme dramatique, quelles strophes, et quels rythmes, seront capables de contenir les idées que les philosophes n'ont exposées jamais qu'à l'état de rêves fébriles ? »

Et ailleurs : « La peinture et la poésie vivent surtout de ces grands problèmes où l'esprit de l'homme interroge avec terreur les traditions primitives », dit-il dans les « Illuminés ».

Quand son Faust fut annoncé, il dut se défendre encore des éditeurs jaloux qui lui cherchaient chicane, mais il eut gain de cause. Il avait amoureusement travaillé la « Ballade du roi de Thulé » avec une rare conscience, la réécrivant maintes fois, en vers aussi bien qu'en prose, se rapprochant sans cesse, sans en trahir l'auteur, d'une perfection toute française. Il avait dissipé, de Goethe, toutes les obscurités, il l'avait élagué, il y avait mis la griffe française. On s'inclina.

Quand vint l'automne, sa saison bien-aimée, on annonça, à Bruxelles, la reprise de Piquillo, avec Jenny Colon. Au diable alors la Presse, le gîte, il décide de se rendre en Belgique ; il profitera de ce voyage pour se documenter sur les contre-façons littéraires, sujet à l'ordre du jour et dont il était spécialiste. Avant de quitter Paris, il s'assura la bienveillance du ministère, au cas où il se trouverait démuni.

D'abord les brumes et le vent du nord le déroutèrent ; il s'ennuya de Paris.

Les artistes tombaient malades les uns après les autres ; son argent fondait rapidement.

Mais enfin on répéta et il revit la comédienne : peut-être dans un salon. Marie Pleyel, appelée à Bruxelles au chevet de sa mère malade, assista à leur bref entretien. Voici comment il raconte la scène dans « Aurélia » : Marie, encore émue des confidences de Vienne, a attendri Jenny. « De sorte qu'un jour, me trouvant dans une société dont elle faisait partie, je la vis venir à moi et me tendre la main. Comment interpréter cette démarche et le regard profond et triste dont elle accompagna son salut ?... »

Une pression de main, un regard : ce que demandaient ses lettres. Pourtant, dans la « Pandora », il semble plus déchiré qu'heureux de cette demi-réconciliation : « O Jupiter, crie-t-il, quand finira mon supplice ? »

Disons qu'il est si pauvre que cette aumône, dans sa cruauté, lui suffit, ou doit lui suffire. Puisqu'elle lui permet de reprendre goût au monde, au travail ; qu'il néglige les « estams »,

et se remet à traduire Heine comme il s'occupe activement de la question des contrefaçons.
« Combien je serais heureux, écrit-il au ministère, qu'on me jugeât digne de quelque travail relatif à l'administration actuelle ».

On ne l'en jugera sans doute pas digne ; sur la question qu'il connaît entre tous, Lamartine fera un retentissant discours ; lui, on ne le consultera pas. Aussi est-il, huit jours avant la générale, aux abois, « attendant de quoi », ayant emprunté à Heine 50 F vite fondus.

Bruxelles fut bon public, Piquillo fit salle comble cette fois ; on nomma Gérard, coauteur ; on le vanta beaucoup et beaucoup aussi Jenny ; lui-même accabla toute la presse d'éloges si partiaux que ses amis le mirent en garde : tout le théâtre était « en fureur contre lui, on l'accusa de monopoliser l'éloge, on parlait de tirer au sort entre les artistes pour l'aller poignarder à l'instar des sociétés secrètes ».

Dans l'euphorie du succès, un point noir. Comme Napoléon venait de rater son second Coup d'Etat, à Boulogne, un inconnu vint offrir à Gérard une somme dont il voulait taire l'origine. Gérard refusa angoissé, bien que sa dette du Monde Dramatique ne fût pas éteinte, bien qu'un des créanciers, qu'il rembourse depuis quatre ans à la « petite semaine » le menace rudement de poursuites.

« Un devoir impérieux, écrit-il dans Auré-lia, me forçait de retourner à Paris, mais je pris aussitôt la résolution de n'y rester que peu de jours et de revenir auprès de mes amies. La joie et l'impatience me donnèrent alors une sorte d'étourdissement qui se compliquait du soin des affaires que j'avais à traiter ».

X

« Quand donc finira mon supplice ? »

C'était cela la vérité : bien plus que le regard poli ou la pression de main apitoyée, qui ne pouvaient le réjouir qu'un temps, après lequel il revenait au sentiment de sa solitude... Or il ne reverra plus ses amies. Il n'aura même plus cette illusion d'amité à défaut d'illusion d'amour.

Rentré à Paris le jour de l'an 1841, il commença par s'enfermer avec sa dette et son travail :il avait promis un remboursement et il remboursa au jour dit, mais combien délabré, combien las.

Après ces « travaux forcés », et bien d'autres, il fit, le 20 février, chez Francis Wey, président de la Société des Gens de Lettres, un dîner « vif ». Il en sortit léger, trop léger, ayant brillé, épuisé les sujets à la mode, parlé des Correspondances swedenborgiennes, des couleurs et des Nombres ; et tout enchanté d'oubli, accédant par la magie de l'ivresse aux étoiles inconnues que nous interdisent nos sens et la raison, il s'en allait « vers l'Orient ». Et ici commence la légende. Car au moment où cette griserie l'emporte vers ses songes les plus délicats, elle le livre à la risée : aussi tout son soin va être de dérouter et ses témoins et ses lecteurs, de « déguiser » ses actes : « Quittant mes habits terrestres », écrit-il avec désinvolture. Pour le guet que ne tourmente nulle étoile de Romancie, qui ne croit pas aux incantations ni aux métaux magiques, le fait de se déshabiller en pleine rue est tout simplement un délit. Il fut donc conduit au bloc où, très exalté, il proteste ; hausse le ton, le hausse si fort que le voilà au cachot :

« Ici, dit-il, a commencé pour moi ce que j'appellerai l'épanchement du rêve dans la vie réelle ».

Cette Vie Seconde, il la vit hélas sous l'œil narquois des gardiens de la paix, jusqu'au moment où Théophile Gautier et Alphonse Karr viennent le délivrer pour le remettre aux mains d'un jeune médecin, rue Picpus, qui diagnostique « un coup de sang » et le garde trois semaines à vue. Pendant 3 jours il dort d'un sommeil profond, au cours duquel il croit voir apparaître, au pied de son lit, sa mère...

Quarante ans après, Edmond Tixier donna du coup de sang sa version : « Son premier acte de folie éclata dans une maison de la rue Miromesnil et se traduisit par le bris d'une glace et de chaises ».

Nous dirions aujourd'hui : « Gérard se défoulait ». Ses contemporains pourtant, peu soucieux de précisions médicales, vont sonner négligemment le glas de sa raison sans que nul médecin ait prononcé « folie ». Janin sans tarder un instant trouve un bon article à faire : une oraison funèbre de ce poète « excentrique » qui a toujours rué dans les brancards, qui n'a voulu écouter nul conseil, même quand on lui disait de ne pas se soucier de Goethe, bref, « un gentil esprit, promis à une renommée honnête et loyale, sans plus, et tout dénué d'ambition ». Un jeune homme en résumé à qui « pas un bourgeois ne voudrait donner en mariage sa fille même borgne et bossue ».

Gérard emprisonné malgré lui dans cette réputation grotesque, se promit de riposter : il le fera dans « Loreley », dix ans plus tard, et sa réponse « marque les distances ». Successivement Mirecourt, Champfleury, Audebrand, Théo même, pour ne parler que des amis, firent de lui le poète « farfelu », insouciant et fol, mais que dire des adversaires ? Que dire de certains critiques, qui ne virent en lui que niaiseries, fadaises, « sucreries en papillottes ? » Combien passèrent à côté de son esprit si drôle, si mordant et de son art si robuste ?

Heureusement il y avait aussi les « attentifs », les amis qui, tel Houssaye, stimulent son inspiration, parce qu'ils partagent ses émotions : Houssaye lui demandera de se souvenir pour tous de leurs « vertes saisons » et, attristé de l'état de celui qui avait été, du temps du Doyenné, leur mécène à tous, publia dans « l'Artiste » quelques vers attendris.

On s'empressa au chevet du malade, on l'assura du nécessaire soit pour rester, soit pour sortir de la maison de santé. Le docteur Labrunie accourt l'un des premiers et rencontre pour la première fois ces « amis » dont il est jaloux. Alors le taciturne devient loquace, il confie ses tourments au médecin à portée d'oreille de celui que l'on croit assoupi et qui écoute, irrité, ces confidences maladroites. Avec quel agacement ce pudique assiste au « déballage » indiscret des vieux griefs. Lui qui ne songe qu'à passer l'éponge, à se réhabiliter dans l'opinion, fût-ce en mentant, voici la vérité divulguée, voici un homme ulcéré, inconsolé, qui l'accuse devant témoins, pour avoir fait fi de son absurde espérance.

Aussi le pauvre homme obtus qui, de sa minable pension, a soustrait de quoi vêtir l'enfant prodigue, se verra-t-il jeter à la face et son dérisoire secours et ses reproches : « J'ignore, répète Gérard impatienté, jusqu'à quel point mon peu de goût pour la profession de docteur a pu me mal placer dans ton esprit, mais je crois le mal, si c'en est un, irréparable et nous avons dit bien des fois là-dessus des paroles qui semblaient devoir être les dernières ». Quand même la tendresse a le dessus, qu'il revienne donc, ce père bavard et obstiné, qu'il revienne tous les jours, demain, le plus vite possible...

En sortant de sa torpeur, Gérard retrouve ses soucis, ses terreurs : qui, à Bruxelles, lui avait offert de l'argent ?

Dans « Aurélia » il fera deux allusions au tort que lui faisait la politique : non plus qu'à d'autres, mais autant. Et ses nerfs sont plus fragiles que ceux de ses amis.

« Des difficultés surgirent, dira-t-il, des événements inexplicables pour moi semblèrent se réunir pour contrarier ma bonne résolution ».

Alité, rue Picpus, il s'inquiète : « J'ai peur d'approfondir, peur de parler ; j'espère qu'il y a un accord complet entre vous et d'autres amis mais j'ai besoin de savoir qui est en dedans, qui est en dehors ».

Paroles de malade persécuté ? Non, puisque

dans Aurélia il confirme la légitimité de ses craintes.

Après l'alerte enfin il est sauf, le ministère lui garde son estime, sa protection, on le secourt. Et l'on continue à se succéder à son chevet. On en rapporte des impressions, des anecdotes si l'on aime faire l'intéressant : tel Alexandre Weill, qui « en remet » et fait de sa visite une véritable scène grand-guignolesque. Pour lui, Gérard est bien fou. Pour Théo comme pour le médecin traitant, Gérard va mieux, il descend au jardin, lit les journaux, reçoit sans surveillance des visites de plusieurs heures. Weil parle de grilles : il n'y a pas de grilles mais une porte grande ouverte que Gérard ne franchit pas, « parce qu'on ne lui envoie pas de voiture ». Francis Wey, son amphitryon le jour de la crise, n'est pas inquiet du tout de son invité qu'il « plaint peu de son régime de gentilhomme campagnard nourri et chauffé, et que le printemps bientôt va environner de verdure et de parfums tandis qu'il est dans ses terres ».

Les crises de Gérard duraient généralement trois ou quatre jours : si Maxime du Camp parle de « six mois » c'est que la cure, rechutes comprises, durait six mois ou davantage. Cette première fois, on le laisse sortir très vite, mais, malade ambulant, il fait une immédiate rechute. Le schéma de ces rechutes, sa « courbe de température », est inscrite dans ses lettres, farcies de vocables en toutes langues, de néologismes, de mots soulignés, qui apparaissent comme encre sympathique dès la crise déclarée.

Le 16 mars, quittant la maison de santé il écrit à Janin un mot extravagant : « Il fait si beau que l'on ne peut se rencontrer ni s'embrasser dans les maisons. Je vais tâcher de revenir. Addio. Il carissimo G. Nap. della torre Bruyne ».

Ce ton n'est ni celui qu'il adopte dans ses lettres très déférentes au critique, ni celui qu'il emploie lorsque, avec Théo, il se rit gentiment de Janin et de Dumas. Il annonce, ce ton primesautier, la proche rechute : elle eut lieu le 21 mars et ses amis le confièrent alors à un médecin-mécène et lettré, Esprit Blanche. On l'intalla dans une vaste demeure au cœur d'un beau jardin arborescent. Le médecin est d'abord à ses yeux « son excellent docteur ». Puis il espère de ce docteur l'autorisation de faire un voyage au pays de son père et alors les choses se gâtent : ayant tracé son itinéraire, mais toujours incarcéré, il se plaint du « joug assez dur » de cet excellent médecin. Delphine de Girardin émue appuie sa requête, il ne reste qu'à attendre un subside, toutes ressources épuisées, chez l'excellent geôlier.

Durant ces six mois d'attente il erre à Montmartre, dans ce « petit espace abrité par les grands arbres du château des Brouillards ». Il rêve « d'y acquérir un des derniers vignobles : il entendrait chanter les merles, il verrait se lever l'aurore, il ferait faire dans sa vigne une construction si légère, une petite villa dans le goût de Pompéi ».

Enfin le secours arrive, il est libre, mais va-t-il en Auvergne ? Nullement. Il va jusqu'à la mer, « pour profiter au moins des dernières feuilles d'automne ». Puis le mauvais temps, la misère, le ramènent à Esprit Blanche :

« Quel malheur, écrit-il à Mme Dumas, qu'à défaut de gloire la société actuelle ne veuille pas toutefois nous permettre l'illusion d'un rêve continuel ».

Fin novembre, il redemande un secours : une légère somme mensuelle jusqu'à la fin de février, 300 F au total. Puis il se ravise : « S'il était possible d'obtenir 125 F par mois de décembre à mars, cela suffirait absolument à ma dépense et me permettrait de faire tranquillement quelque ouvrage dont je trouverais ensuite les produits ».

Et il ajoute humblement : « Je n'ai plus d'argent pour longtemps, vous le savez ».

Or, comme s'annonçait ce nouvel hiver où il n'avait nulle assurance, cet hiver précaire, exposé aux privations, Jenny Colon, minée par le travail et les maternités, s'alitait.

Gérard avait eu, de ce malheur, plusieurs fois le pressentiment. Une nuit de février, peu après son retour de Belgique, comme il remontait la rue Miromesnil, le numéro 33, chiffre de leur âge, le frappa : il y vit un sinistre présage, une annonce de mort.

Pourtant quand on l'avertit de l'état de la comédienne, qui elle-même croyait qu'on lui avait jeté un sort, il refusa d'y croire ; puis il se fit à cette idée. Morte, elle lui appartiendrait.

XI

Elle mourut l'été suivant. Et d'abord il en souffrit modérément. Vivante, elle appartenait à un autre. Morte elle devenait la Visiteuse Nocturne, elle était à lui enfin.

A chaque page d'Aurélia, éclatera cette certitude exultante : Il n'y a pas de morts. Certitude si consolante qu'il veut la vérifier encore :

« Il ne m'a pas suffi de mettre au tombeau mes amours de chair et de cendres pour m'assurer que c'est nous, vivants, qui marchons dans un monde de fantômes ».

Mais Jenny lui appartient-elle vraiment ? Est-ce si sûr ? Et si la Mort représentait les mêmes problèmes que la vie ? S'il devait, dans la Mort, la reconquérir, la garder et la mériter ? Et si le rival alors, n'était plus le pâle flutiste, le dérisoire Leplus, mais la part de lui-même, le frère mystique, l'ennemi intime, qui n'était pas digne de Jenny, de la Béatitude céleste ? La jalousie était un mal mineur comparée à ce sentiment d'indignité, de dépossession éternelle.

Plus mélancolique que jamais, on le voit alors errer triste et seul, négligeant ses amis, sourd aux conseils paternels, désolant son père par cette incurable tristesse. Il fait pitié, le sait et hait la pitié qu'il inspire. Perdant ses forces, fuyant la société, comme il s'ennuie, lui que pourtant Théo envie de « vivre sans cesse en compagnie de Gérard ». Enfin il décide de sortir de l'enlisement par une nouvelle « grande entreprise » capable de le régénérer, d'effacer le souvenir de sa maladie, qui « lui donnât aux yeux des gens une physionomie nouvelle ». Se justifier, réparer : c'est son perpétuel souci.

Et son œuvre capitale, « Aurélia », sera cette tentative, sur deux plans : d'une part, ce sera le récit, travesti, de ses crises d'alcoolisme, qu'il enjolive et rend méconnaissables (ainsi surmonte-t-il leur honte), mais surtout, ce sera la tentative de l'Homme d'échapper à ce qu'il croit sa Faute et qui pourrait entraîner sa damnation éternelle. C'est le poème de la peur de la mort, non parce qu'elle est la mort mais parce qu'elle pourrait être la punition, le châtiment. Comment échapper au passé ? Un acte de charité le répare, il n'est pas irréversible, puisque, entre le juge et l'homme, il y a des intercesseurs et, pour lui particulièrement, la Visiteuse nocturne.

Dans la détresse, il se tourne vers l'Orient, qui polarise alors tous les artistes. Le Ministère lui concède une mission et partir en plein hiver lui semble un premier exploit. Il « met l'étendue des mers entre lui et un triste et doux souvenir ». Cependant que paraissent dans la Sylphide sous le titre « Un roman à faire » six mystérieuses lettres d'amour.

Il laisse derrière lui, — triste Noël — son père dont la fête coïncide avec le lendemain de la Nativité : que de fois il a été seul à cette occasion : en 1834, 1836, 1839, 1840.... Cette fois Gérard a conscience du chagrin qu'il fait : « J'ose à peine te souhaiter ta fête dans ces circonstances et pourtant je vois désormais l'avenir très heureux. Nous ne sommes encore d'âge ni de santé ni l'un ni l'autre à nous inquiéter d'une séparation de cinq ou six mois. Adieu donc et courage une fois encore ».

De Marseille où il réveillonne avec Méry, écrivain qui, après avoir souvent changé d'opinion politique, s'était lié d'amitié avec la reine Hortense et son fils en Italie, il envoie un nouvel adieu : « Nous voilà séparés pour bien du temps encore et en vérité c'est presque le seul regret que je laisse à Paris. Adieu, reçois mes espérances et aime-moi toujours ». Au fur et à mesure de l'éloignement, son émotion croîtra, de même que plus il avance dans la vie, plus il se rapproche de celui qu'il avait fui un jour comme on fuit un geôlier.

Il s'embarque le premier janvier. Un mystérieux Orientaliste sans œuvre, nommé Fonfrède, l'accompagne, lui aussi mandaté par le gouvernement ; ce fait et celui qu'il jouissait de la franchise postale fit parfois penser que Gérard était chargé d'une mission extra-littéraire ; pourtant, de là comme de Vienne, il reviendra désargenté, « gros-Jean comme devant ».

La pensée de Jenny le suit. Il emporte un coffret qu'il dit lui avoir appartenu (peut-être fabule-t-il pour se consoler), et dans lequel dit-il, il conservait sa dernière lettre et la désignation de sa tombe au cimetière Montmartre. Il y joindra en cours de route de menus objets ayant pour lui valeur de talismans. Comme tous les autres, ce voyage lui apportera beaucoup de déceptions. D'abord, il commença par renoncer à un projet : celui de perfectionner sur le navire sa connaissance de la langue arabe : une tempête l'en empêcha. Il avait heureusement emporté de la documentation et il put la compléter à la Société égyptienne : ainsi, consultant « en diagonale » tous les livres anciens et modernes publiés sur le pays, et toutes les catégories, philosophie, philologie, occultisme, il put rédiger en cours de route une sorte de « digest » avant la lettre, émaillé de réflexions personnelles, de pochades, et d'inimitables petits croquis, à l'intention des journaux français.

Au départ ce « changement d'air » lui plaît, au point qu'il écrit à son père qu'il aurait seul assez de puissance pour le faire rentrer en France, mais cela ne dure pas. Il s'éveille de son rêve homérique, (auquel étaient venues s'ajouter des chansons de Béranger), à la vue des îles grecques « réduites à leurs seuls rochers, dépouillées par des vents terribles ». Où est l'aurore aux doigts de rose ? Où, ce pays où l'on voudrait mourir ? Il souffre de la présence anglaise, et se rappelle les rondes de jeunes filles qui dans son pays « pleurent les bois déserts et les lauriers coupés ». Dans ces décors évanescents, à peine touchés du regard, sitôt évanouis à l'horizon, il s'avise de la fuite de l'âge. Il vient d'avoir 34 ans.

« A peine avons-nous connu la jeunesse, à peine avons-nous compris qu'il fallait en arriver bientôt à chanter pour nous-mêmes l'ode d'Horace : « Hélas ! les années s'enfuient rapidement », si peu de temps après l'avoir expliquée ». Son impécuniosité n'est pas pour rien dans ses réflexions moroses.

Un matin, il entend le chant d'un matelot levantin qui jetait au vent et aux flots un refrain nostalgique : « Ce n'est pas bonjour, ce n'est pas bonsoir ». Gérard traduit le poème, il pense avec mélancolie, il écrit à Théo : « Nous arrivons bientôt à cette heure solennelle, qui n'est plus le matin et qui n'est pas le soir, et rien au monde ne peut faire qu'il en soit autrement ». Et le refrain revient toujours : « Nè kalimèra, Nè orà kali ». Arrivé à Constantinople, dans le carnet de croquis de l'amant de la cydalise, Gérard écrit :

Ni bonjour, ni bonsoir.
Le matin n'est plus, le soir pas encore,
Pourtant de nos yeux l'éclair a pâli,
Mais le soir qui vient ressemble à l'aurore
Et la nuit plus tard apporte l'oubli ».

La fuite du temps, l'âge : il va souvent y faire allusion maintenant. « Mon âge, écrit-il à son père, me fait sentir l'ennui d'être si loin. Je sens de plus en plus que je vis loin de toi ».

Le temps déçoit, les lieux déçoivent : « Tu as bien fait, écrit-il à Théo, au début de son séjour au Caire, de mettre le Caire en ballets avant de le voir. Il importe que tu n'aies pas d'avance des idées trop vraies de l'Orient... Je pense souvent à toi, je rêve de toi, sans toi je suis comme un crétin.... ».

Et, de Constantinople, à la fin du voyage :

« Hélas, au moment où tu attachais toutes les splendeurs de l'Opéra au Caire de ton imagination, moi je me trouvais à réunir au vrai Caire les éléments baroques d'une pantomine de Debureau. O mon ami, nous réalisons bien tous les deux la fable de l'homme qui court après la fortune et de celui qui l'attend dans son lit : ce n'est pas la fortune que je poursuis, c'est l'idéal, c'est la couleur, la poésie, l'amour peut-être, et tout cela t'arrive à toi qui restes en m'échappant à moi qui cours. Moi j'ai déjà perdu royaume à royaume, province à province, la plus belle moitié de l'univers et bientôt je ne vais plus savoir où réfugier mes rêves. Mais c'est l'Egypte que je regrette le plus d'avoir chassé de mon imagination pour la loger tristement dans mes souvenirs. Aussi bien les six mois que j'ai passés là sont passés ; c'est déjà le néant ; j'ai vu tant de pays s'abîmer derrière mes pas comme des décorations de théâtre ; que m'en reste-t-il ? Une image aussi confuse que celle d'un songe ; le meilleur de ce qui s'y trouve, je le savais déjà par cœur.

Même chose à Constantinople : ce qui est à l'arrivée, « le plus beau port du monde », devient vite « un séjour peu attrayant où la nature vous assassine à bout portant ». Il se rend compte, au terme de ce voyage de mille et une nuits, où ne lui fut refusé aucun faste, aucun site, aucun honneur et où pourtant il vécut souvent en lazzarone, que son père est et « son seul parent et presque son seul ami véritable ». Car Théo est rieur, affectueux, mais pas jusqu'à « comprendre » son ami ! Gérard lui ayant dit son proche retour, sans argent, il élude : « Tu es gentil dans toutes les parties du monde ; je m'ennuie infiniment de ne pas te voir ; mais la pensée de te savoir sans argent dans un climat chaud me console et me soutient. Ici il commence à pleuvoir et il est vraiment douloureux pour la littérature d'avoir des bottes qui prennent l'eau ». C'est dire en beaucoup de mots : « Ne te plains pas, je suis plus à plaindre que toi ».

Aux plaintes de Gérard, Théo répondra souvent par ces plaintes désinvoltes : il était né pour ne rien faire, lui aussi, il fait des besognes alors qu'il pourrait faire mieux ; il dicte des rhapsodies « pour ne pas mourir de faim tout à fait ». Or il vit largement, — dépensant peut-être il est vrai au-dessus de ses moyens — mais nanti de voitures, de chevaux, et d'un fort beau petit hôtel de maître.

Et bien sûr, il ne peut payer la perpétuelle dépense de Gérard. Celui-ci alors se sent plus seul et revient à son père, « presque le seul attrait qui le rappelle à Paris » : les plaisanteries

de son meilleur ami lui apprennent une dure vérité :
« L'homme de lettres n'a que lui pour lui... ».

« Tu le sais, je ne suis pas facile à décourager et je ne manque pas de volonté, non certainement, et c'est par là seulement que je sortirai de toutes les contrariétés du moment... L'homme de lettres n'a que lui pour lui et il faut donc qu'il dispose de toutes ses facultés. Une fois malade ou découragé, tout est perdu ».

Il quitta Constantinople début novembre : « Triste impression, je regagne le pays du froid et des orages et déjà l'Orient n'est plus pour moi qu'un de ces rêves du matin auxquels viennent bientôt succéder les ennuis du jour ». Les ennuis : « faire de l'argent », placer de la copie, hypothéquer de futurs travaux, « les plus difficiles à toucher ». Ensuite reprendre le travail des journaux après lequel on se retrouve « au dépourvu, fatigué seulement et malade quelquefois ». Quelle consolation devait trouver le docteur Labrunie, devenu confident de celui qui le fuyait dix ans plus tôt, de se voir avouer ce qu'il n'avait que trop prévu ? Mais aussi quelle amertume.

Près de Malte (où il sera gardé en quarantaine, fiévreux, enrhumé), il écrit à Janin :

« L'Orient n'approche pas de ce rêve éveillé que j'en avais fait il y a deux ans. Ou bien c'est que cet Orient-là est encore plus loin et plus haut. J'en ai assez de courir après la poésie ; je crois qu'elle est à votre porte et peut-être dans votre lit. Moi je suis encore l'homme qui court mais je vais tâcher de m'arrêter et d'attendre ». Ainsi revient-il vers Paris, qu'il a « quitté de si bon cœur, vers ses amis qu'il oubliait si bien ». Quoi qu'on rencontre partout d'honnêtes et aimables gens, ils ne valent jamais ceux que l'on connaît et que l'on aime depuis longtemps, *et avec qui l'on a été jeune* ».

Aimait-il tant que cela le critique ? Sans doute, en le jugeant à son aune exacte. Surtout il avait grand besoin de lui, ayant selon ses propres termes « peu de publicité » à Paris, qui oublie vite.

C'est frileusement entortillé dans une robe de chambre de son père qu'il passe encore dix jours à Naples, où, visitant cette fois les musées sous l'égide des édilités, il découvre sans doute certaine statue d'Isis qui l'inspire : il ébauche alors « Isis » d'après Apulée ; crayonne une Chimère.

A Pompéi, comme à Lichtenthal il philosophe sur l'aspect temporel de la mort, et sa phrase rend bien, comme a dit Théo de certains de ses vers, le son d'un oracle inconnu, mélange de bonhomie et de solennité, de Perrault et de Bossuet : « Il y avait une fois une ville italienne située au pied du Vésuve. C'était, pendant l'été, la rivale de Baïa. Or un jour que les habitants de cette ville de délices se livraient ainsi à l'oubli de la mort, une immense clameur vint les arracher à leur ivresse ».

On s'attriste de penser que, tandis qu'un jeune bourgeois nommé Flaubert s'offrait le luxe de composer péniblement dans son « gueuloir », un vagabond nommé Nerval, prolétaire des Lettres, trouvait au fil de la plume ces merveilleux raccourcis pour n'en faire que de modestes feuilletons.

Quand il a reçu l'argent nécessaire, il touche enfin la terre française où l'accueillent Méry et Rogier ; ils festoient pendant trois jours puis gagnent Nîmes où ils fêtent Noël chez les parents de Rogier. Il a grossi ; il n'a de manteau qu'arabe, — vêtement trop clair, qui mêle le luxe oriental à une mode européenne arriérée, dit-il sur le mode plaisant ; en bref il revient ridicule et démodé, — embarrassé comme à Vienne de son aspect extérieur.

Pour le docteur Labrunie il reçoit en guise de cadeau de Noël une nouvelle promesse :

« A l'âge que j'ai on ne se sépare pas de son seul parent sans quelque peine et c'est aussi un grand plaisir de savoir qu'on va le retrouver pour longtemps ».

« Tu reviens bien, tu reviens bien,
Mais avec toi ne reviennent pas
Mes jours de joie et d'insouciance.
Tu reviens bien, tu reviens,
Mais tu ne ramènes rien :
Ni mon trésor perdu, ni mes jours heureux perdus,
Rien que le souvenir de ma misère et de mes
{malheurs ».

(Pastor fido)

XII

En 1844 Gérard, qui venait d'écrire, sous une exergue de Jean-Paul, « Le Christ aux Oliviers », s'incarne pour la première fois dans un personnage bafoué qu'il nomme l'Illustre Brisacier. « C'était un nommé Brisacier, simple secrétaire de la reine, qui, à l'étonnement général, produisit ses titre de filiation qui auraient fait remonter sa race à la branche royale des Valois ».

Ce frère d' « Adrienne », par le sang, ce fils de France, ce « Prince de contrebande », s'est fait comédien ambulant par amour ; dégradé et déclassé, il suit son « étoile » en tournée, comme Gérard suivit Jenny, comme, dans le « Roman comique » de Scarron que, comme Gautier, il rêve d'achever, le « Destin » suit l' « Etoile ».

« Quelques passages de ce roman (inachevé) dit plus tard Gérard, retraçaient dans ma pensée le portrait idéal d'Aurélia, la comédienne, esquissée dans « Sylvie ». Ce rapport seul peut donner quelque valeur à un fragment si incomplet ».

Pour nous, non seulement Brisacier annonce « Sylvie » ; non seulement le poète fera passer le sang de France de ses veines dans celles d'Adrienne (or Brisacier c'est lui), mais encore il annonce « El Desdichado » : « Lui, le brillant comédien de naguère, le prince ignoré, l'amant mystérieux, le deshérité, le banni de liesse, le beau ténébreux », écrit-il en 1844. Et quand il place au cœur de Brisacier cette question anxieuse : « Comment, de cet abaissement inouï, s'élancera-t-il aux plus hautes destinées ? », cette question, il se la pose aussi. Et la réponse suit de près : « Persuadé que j'écrivais ma propre histoire, je me suis mis à traduire tous mes rêves... Quelque jour j'écrirai l'histoire de cette descente aux enfers ».

Ce sera « Aurélia » qui s'achèvera par ces mots : « Je compare cette série d'épreuves que j'ai traversées à ce qui, chez les Anciens, représentait l'idée d'une descente aux Enfers ».

Au printemps suivant (en automne il a fait avec Houssaye, marié maintenant, un voyage en Hollande), il exhume de l'oubli le « Diable amoureux » de Cazotte, « précurseur d'Hoffmann dans le genre fantastique pur à une époque où ce genre n'avait pas encore été essayé ».

Le Français donc a précédé l'Allemand et Gérard ne manque pas de rendre à la France ce nouvel hommage. Et il est supérieur dans le genre :

« Hoffmann peint à la manière de Goya et laisse bien des formes bizarres et fatales flotter dans l'ombre comme au hasard ; il s'effraie lui-même des fantômes qu'il crée et recule en les fuyant vers les grandes clartés du jour de la vie ; Cazotte, plus hardi, plus familiarisé avec le monde surnaturel, Cazotte que son siècle saluait du nom d'illuminé, se complait dans l'évocation des figures les plus terribles ; il les arrête, il les nomme, il se joue de leurs obsessions et de leurs mystères et compose un tableau précis et coloré des traces fugitives d'une ombre ».

Telle sera « Sylvie ». A Cazotte, Gérard empruntera également son métier : Il souligne chez lui « le charme et la perfection des détails et la couleur des vieux fabliaux français ».

Gérard, plaidant pour Cazotte, plaide pro domo. Comme lui, Cazotte a beaucoup lu, sans doctrine ni méthode particulière. On lui reproche ses opinions politiques et son ésotérisme alors qu'il « ne songeait qu'à divertir le public et prouver seulement qu'il faut prendre garde au diable ».

Gérard souhaite être comme lui salué du nom d'illuminé, et de prophète ; en signalant les droits de Cazotte à la « création d'une sorte de poésie et de littérature fantastique », Gérard souligne sa propre importance. « Quelque jugement que puissent porter les esprits sérieux sur cette trop fidèle peinture de certaines hallucinations du rêve, si décousues que soient forcément les impressions d'un pareil récit, il y a, dans cette série de visions bizarres, quelque chose de terrible, et de mystérieux. Il ne faut voir aussi, dans ce soin de recueillir un songe en partie dépourvu de sens, que les préoccupations d'un mystique qui lie à l'action du monde extérieur les phénomènes du sommeil... Rien, dans la masse des écrits qu'on a conservés de cette époque de la vie de Cazotte, n'indique un affaiblissement quelconque de ses facultés intellectuelles ».

Nous sommes bien loin ici du jugement hâtif de Gautier sur Aurélia : « La raison écrivant sous la dictée de la folie ».

Qu'est-ce que le Diable amoureux ? Un jeune homme naïf aime le diable sous les traits d'une femme. Pour l'épouser il veut le consentement maternel, et le souvenir de sa mère, et son image, « auront le pouvoir d'arrêter sa marche vers l'abîme ». L'œuvre apparaît à Gérard comme « une course effrénée à travers les champs de l'infini », de même que Francesco et Polia, dans leur amour béni, « franchissaient dans leur double rêve l'immensité de l'espace et du temps ».

Dans un autre roman Cazotte imagine un jeune marié, incurablement malade, qui s'assure la fidélité post-mortem de sa femme en s'en séparant et lui faisant, par un ami, parvenir des lettres de lui, après sa mort. « Idée sublime et douloureuse d'un homme qui croyait à l'immortalité et prévoyait ainsi les désespoirs des morts oubliés et trahis ».

Théo faisant en Algérie un séjour à l'Etat-Major du général Bugeaud, Gérard le remplace comme toujours à la « Presse », mais impatienté il se dégage, confie sa besogne à Hetzel, fait une fugue en Angleterre via Le Havre où il espère surprendre Alphonse Karr et le rate. De Londres il va rapporter « Angleterre et Flandre » et « Une nuit à Londres », (ou « Un tour dans le Nord »). Croquis rapides de ces « Londres by night », « paradis ou enfer selon les moyens dont on dispose ».

Il rejoint Paris avant Théo, et la peine et

la copie et les chicanes ; il travaille ferme, ne manque rien, il attend son ami, fréquente sa femme — la sœur de la Grisi, — réédite la plus désespérée de ses lettres à Jenny Colon. Il loue un logis « près de la Barrière dans les jardins ; personne ne l'y connaît ce qui lui donne l'heur de se réveiller sans coup de sonnette ».

Cet agreste logis montmartrois devait être fort bon marché, car Gérard vit si chichement qu'il demande à son cousin Alexandre Labrunie une avance sur le fermage de Nerva.

A partir de 1846 Gérard va vivre tourné vers ce clos, ces bosquets, et le « Pays-de-France ». Il va y muser souvent, écoutant les ramages des enfants, frappé par la grâce des petites filles semblables à des suissesses sous leurs grands chapeaux de paille, sensible aux désinences familières « qui montent au ciel comme des chants d'alouettes », croyant reconnaître à chaque pas un de ses chers disparus ; rêvant sans fin en ce point où l'île de France, le Valois et la Picardie se rejoignent, où il est permis de rêver des « plus belles bergeries du monde ».

XIII

Gérard venait d'achever avec Limnander un opéra, les Monténégrins (un épisode de la révolte des Balkans d'après deux vers de la « Guzla »), quand éclata la révolution de 1848. Le placement de la pièce s'en ressentit : acceptée au « Nouveau Théâtre », il fallut la porter ailleurs, et ce fut l'Opéra-Comique qui l'accepta.

On répétait quand Gérard fit « une chute sans importance » : il s'attarda un peu au lit, ne remit pas sa copie au journal, manqua la répétition.

L'émeute éclata dans la nuit du 22 au 23 février : Louis-Philippe abdiqua le 24. On sait la suite : les émeutiers envahissant la Chambre, l'exil royal, le Gouvernement Provisoire, la deuxième République, Hugo et Lamartine portés le 29 avril à l'Assemblée Nationale, etc.

Comment réagit le Vaillant de 1830, l'auteur des « Précurseurs du socialisme » ? Il se trouve avec Gautier, Houssaye, quelques autres, à regarder dans l'atelier de Ziem des cartons d'Orient : tous courent aux fenêtres, lui seul continue à feuilleter rêveusement.

1848 allait indigner Delacroix par ses excès, ruiner Gautier, le réduisant au maigre salaire de « La Presse », mais que dire de Gérard ? Durant cette année fertile en coups de théâtres, en retournements fulgurants, ses protecteurs connaîtront des fortunes diverses, seront mutés, démissionnés, rappelés, retraités, tour à tour écartés ou portés au pouvoir, puis exilés. Tel Noël Parfait, ami et secrétaire de Gautier, élu représentant du Peuple, puis émigré.

Avec Esquiros, Marc Fournier, Weill et considérant, lui-même fonde le « Club des Augustins ». Mais surtout il corrige ses traductions avec Heine. L'été il collaborera avec Théo, Paul de Kock et Nadar au « Journal » d'Alphonse Karr. Il occupe rue St-Thomas du Louvre — si près hélas de la rue du Doyenné ! — une bicoque promise à la démolition, qu'il loue à bon compte à la Ville. Elle est si délabrée et de si méchante réputation que Théo n'y mettra jamais les pieds, qu'il ignorera longtemps l'adresse de son ami et se scandalisera de l'apprendre. Ainsi c'est là qu'il gîte ; on ne peut donc plus le rencontrer « faute de lieu ».

(« Savez-vous sa demeure ? Non, écrit un de leurs amis ; le moindre écho sait votre nom, mais il ne sait pas votre adresse »).

Sa position dans les Lettres ? : à un ami désireux de publier chez un de ses éditeurs, il conseille ceci : « Si vous vouliez faire comme moi *de compte à demi* avec lui, je crois la chose possible ». Du compte d'auteur donc. On est au printemps 1849. Le futur Napoléon III est rentré en France depuis trois mois et a été proclamé Président de la République. Jamais Gérard, qui pourtant, d'après du Camp, ne fut pas parmi les récalcitrants, ne trouvera (ou ne demandera) d'appui à ce gouvernement-là : quand on mènera une enquête sur l'opportunité de la Censure, au théâtre, abolie en 1848, on consultera Scribe, Janin, Hugo, Dumas, Théo, pas lui ; Mérimée le traite de haut. Pire : quand Théo écrira une « Histoire de la poésie depuis 1848 », il ne le citera pas .

Les « Monténégrins » n'eurent pas plus de chance que les pièces précédentes : et Gérard était moins aguerri contre son échec. Joué en pleine épidémie de choléra, en pleine « terreur » du choléra, devant une salle vidée par cette psychose, cette pièce où l'on retrouve les thèmes chers à Gérard, les deux types féminins, la substitution, la Renaissance, le château enchanté, la femme voilée et surtout l'image magique (ici « Hélène 1507 », qui vendit son âme au diable pour conserver sa beauté), fit recette quelques jours puis fut retirée de l'affiche, laissant Gérard effondré. Un ami, le docteur Aussuddon, lui offre asile, mais il se conduit à la légère, se laisse entraîner par Théo, mange en ville, loge à l'hôtel, égaré, surexcité, s'excusant avec espièglerie et signant « ton affreux ami ». Cette conduite saugrenue cache une angoisse immense: la critique l'égratigne, Champfleury le taxe d'irréflexion, rappelant avec ironie « son grand drame Léo Burckart ». Il relève le gant mais à quoi bon ? Nul ne veut le prendre au sérieux.

Sentimentalement où en est-il ? Un roman inachevé lui aussi, et que le « Temps » publia du 1er mars à fin mai 1849, nous le dit :

« Le héros de cet épisode de la guerre des Chouans, Georges, comme Gérard est un enfant abandonné, qui s' « étonne d'être seul au monde » et se demande à propos de sa mère, entrée au cloître après lui avoir donné naissance : « Comment a-t-elle pu vivre sans moi ? ». Il lit comme Gérard « des livres de philosophie transcendante, les Platoniciens l'ont initié aux mystères du pur amour, les poètes italiens de la Renaissance lui ont rempli la tête de canzones et de sonnets langoureux, les théosophes modernes l'ont séduit par l'image de leurs amours mystiques ; il lit la Nouvelle Héloïse couché au bord des étangs, fréquente les sentes forestières, s'éprend d'une jeune aristocrate, Gabrielle, avec laquelle il « joue au mariage », elle sera Julie, il est St-Preux ».

Bref c'est Gérard lui-même. Dans cette ébauche où s'entremêlent les thèmes du déguisement enfantin, de la religieuse, de la possession amoureuse interdite, il sourit un peu de ses lectures mais sourit-il de ses amours ? Il le voudrait, c'est en vain : « Est-ce qu'on guérit jamais de ces choses-là ? — Je le crains bien — A chaque nouvelle déception, on se dit qu'on est à jamais revenu de ces contrées utopiques de l'amour ; qu'on est las de courir après cet Eldorado qui nous fuit toujours, — ce mirage des illusions qui danse sans qu'on puisse l'atteindre. Comme on se rira sans pitié de ces doux regards, de ces émotions feintes, de ces trompeuses paroles. Oh ! les femmes ! elles peuvent venir à présent avec leur attirail de fausseté, leur arsenal d'armes émoussées et impuissantes ! Et tout-à-coup, avant que l'on ait même songé à se mettre en garde, on voit surgir de nouveau tous ces blancs fantômes de la jeunesse, dont le souffle fait revivre mille pensées mortes, et reverdir l'arbre dépouillé par l'automne ». Cette pensée, il la répétera dans « Aurélia » : « Quelle folie d'aimer d'un amour platonique une femme qui ne vous aime plus. Ceci est la faute de mes lectures : j'ai pris au sérieux les inventions des poètes, et je me suis fait une Laure ou une Béatrice d'une personne ordinaire de notre siècle ».

A partir de 1848 il « jongle » avec sa vie. Il prévoit une souscription pour placer « Les femmes du Caire », propose une pièce à l'Odéon, « De Paris à Pékin », dont le Gouvernement interdit la représentation sous prétexte qu'elle ferait concurrence à l'Opéra-Comique : jongle avec les dettes, les besognes, les efforts, les humiliations, les échecs, les obstacles et même les cures de repos qu'il ne peut payer qu'en travaillant davantage ; il demande sans cesse des délais de paiement, expliquant ses difficultés, pauvre à vingt francs près. Ce « travail obligatoire » l'a conduit à donner à la seule « Presse » plus de 150 articles, et autant à l'ensemble des autres journaux. Hetzel, républicain en place, le recommande au « National » où il gagnera 25 centimes la ligne, et où il promet d'être exact, son manquement envers le « Temps », la brusque interruption du « Marquis de Fayolle » en cours de publication ayant mis en garde les directeurs de revues et de journaux. Pour faire face à cet engagement d' « exactitude militaire », il va allonger son feuilleton au moyen d'emprunts, de digressions, de hors textes, de thèmes divers.

Mais pour inaugurer sa collaboration au « National », il a heureusement de la copie d'avance : les « Nuits du Ramazan » dont Francis Wey, généreusement, bénévolement et anonymement, écrira pour lui les deux tiers. D'autre part il prépare avec Delage et Rigo, le « Diable Rouge », premier état des « Illuminés », pour l'Almanach cabalistique. Et il propose à l'Odéon une pièce encore : c'est le « Chariot d'enfant », classique de l'Inde, rodé, apprécié des lettrés, une pièce enfin qui «devait » avoir du succès, sans malchance. Paul Bocage l'accepte ; on eut un acteur en renom, Théo « cuisina » la critique.

Ce fut un nouvel échec.

Pourtant le 13 mai 1850, jour de la première, l'auteur fut une fois de plus ovationné, mais Bocage avait eu l'audace, le 4 mai, de donner sans autorisation une représentation gratuite à l'occasion de l'anniversaire de la Proclamation de la République, il allait être révoqué et, en guise de représailles, on limogeait son théâtre et ses pièces. Incertain de la réussite mais déjà fort angoissé, Gérard, au cours des représentations, accepta l'offre d'un éditeur de publier le « Chariot » en librairie. Et il fit appel à Janin : « Soyez-moi bon, lui demandait-il, je sais que Bocage vous a fait je ne sais quoi, qu'enfin vous vous êtes promis de ne pas parler de l'Odéon ; mais ceci est un petit livre qui va paraître et Bocage s'éclipse pour trois mois. Mettez-nous quelques lignes, si vous pouvez. Quand vous parlez, c'est la gloire, soit que l'étincelle en soit rouge ou blanche. Au fond je ne sais trop de quelle couleur nous sommes, Méry et moi. Nous tâchons de faire ce qui est bien et qui peut réussir. On a vu dans cette pièce des mythes auxquels nous n'avions pas songé. Dans tous les cas nous serions fort au-dessous du génie révolutionnaire de ce bon roi Soudraka (l'auteur de la pièce) dont vous avez l'œuvre chez vous. Vous le reconnaîtrez en le lisant. Il ya des époques où il est bon de tout dire ou de tout traduire parce que, quoi qu'on fasse, cela est indifférent ».

Que de précautions et combien elles durent lui être pénibles ; comme elles trahissent sa dépendance de prolétaire des Lettres.... Comme on sent Gérard tremblant. « L'allusion », devait dire Du Camp, était « l'objet sur lequel les gens de la Sûreté générale exerçaient leur perspicacité ». Et Gérard résumait ainsi l'absurdité de son époque : « Je voudrais écrire l'histoire de Haçan-ben-Sabbah Homaïrri, mais je n'ose pas, on y verrait des allusions à l'Empereur ».

La lettre atteignit Janin trop tard, au lendemain de la chute du « Chariot ». Théo, partant pour l'Italie, quitta un Gérard prostré, qui craignait d'affliger ses amis par le spectacle de son chagrin. Il se reprit pourtant, préfaça le « Chariot » avec Méry, prépara le résumé d'une œuvre de Restif de la Bretonne, sous le le titre de « Confidences de Nicolas », publia dans l'Almanach cabalistique une première ébauche de Faust d'après Klinger, ce « Faust français » que, à défaut de Dumas absent de France, il va écrire enfin, avec d'autres collaborateurs : Lopez et Méry. Ceux-ci pressentent Marc Fournier, prochain directeur de la Porte St Martin ; on décide de remanier le texte... et on en reste là.

Car tandis que l'on cherche Gérard, qu'on fixe des rendez-vous urgents, qu'on court partout après lui, il a repris le chemin de l'Allemagne.

On y préparait, à Weimar, où il était toujours l'invité de Lizst, des fêtes en l'honneur de Goethe et de Herder. Gérard remit ses pas dans la trace de ses pas, mais il fut vivifié par des impressions nouvelles : à Francfort où il vit Faust à l'Opéra, il y avait une statue colossale, qui n'y était pas du temps de son séjour avec Dumas. Sur le socle monumental de Goethe, on avait gravé, comme sur les stèles d'Ermenonville, ces mots sacrés : Tragédie, philosophie, poésie. Sur l'autre face, des rêves incarnés : Mignon, Werther, Charlotte.

Au retour de cette « fugue », il reverra Francfort encore, et y attendra comme toujours l'argent pour pousuivre son voyage : 100 F qu'il recevra fin août. Entre temps il flâne et bouquine, et il déniche ainsi un livre qui retient son attention : c'est l'histoire d'un évadé de la Bastille, le comte abbé de Bucquoy qui, petit-fils d'un ligueur, se proposa de « faire de la France une République sous Louis XIV et de détruire le pouvoir arbitraire ».

Il tenait là son feuilleton du « National ».

Les allusions du livre à l' « Enfer de la Bastille » lui suggérèrent de rompre lui-même quelques lances en faveur de la liberté, mais subtilement.

Celui plus ne suis que j'ai jadis été
Et plus ne saurais jamais l'être.
Mon doux printemps et mon été
Ont fait le saut par la fenêtre.

Ancienne chanson mise en musique
par J.-J. Rousseau.

XIV

A son retour, il « trouva la littérature dans un état de terreur inexprimable ».

Maxime du Camp, parlant de cette époque, nous dit : « L'heure n'était pas clémente aux écrivains ; ceux qui n'avaient pas de moyens d'existence personnels, ou qui ne s'étaient pas jetés dans la bataille politique, risquaient de faire maigre chère ».

Il dit encore : « Dans les années 1849, 1850, 1851, les procès de presse furent incessants et les condamnations d'une sévérité absurde ».

On venait de promulguer l' « amendament Riancey » qui interdisait l'insertion de « romans-feuilletons » dans les journaux, mesure qui frappait dans leurs moyens d'existence nombre d'auteurs étrangers à toute politique, et hantés par les menaces de censure.

A partir de cette époque qui, bientôt, condamnera les écrivains à ne plus pouvoir compter que sur les revues littéraires pour subsister, il est perdu. C'est à partir de 1851 qu'il va faire rechute sur rechute, vivre aux mains des médecins, trouver chez eux ses seuls refuges.

Sa vie ne fut plus alors qu'une longue claustration entrecoupée de brèves rémissions. Voici ce qu'il en dit dans « Aurélia » :

« La situation de mon esprit me rendait impossible l'exécution des travaux convenus. Des événements politiques agissaient indirectement tant pour m'affliger que pour m'ôter le moyen de mettre ordre à mes affaires ».

En avril 1852, il écrira à Emile de Girardin une lettre qui en dit long sur ses sentiments envers le Chef de l'Etat, même s'il n'était pas, selon l'expression de du Camp, parmi les « récalcitrants » déclarés :

« Je viens de lire dans un journal que les officiers qui contribuent à la fête du 10 mai seront amplement dédommagés plus tard de ce sacrifice. Cela m'a rappelé une phrase de je ne sais quel auteur latin, ainsi conçue : César, se défiant des officiers de son armée, leur emprunta beaucoup d'argent, qu'il se hâta ensuite de distribuer aux soldats ; il se fit ainsi des appuis de ces officiers, qui espéraient être payés plus tard, et des soldats, qui venaient de l'être ».

Que l'on compare les termes et l'accent ironique de cette lettre à la page que dans « Promenades et Souvenirs » il consacre à l'adieu de Napoléon Ier aux Aigles : « Une heure fatale sonna pour la France. Son héros... ».

Le jeune poète du lycée Charlemagne n'a guère changé : la preuve en sera encore dans sa tendresse pour la petite princesse de Solms, la remuante proscrite, descendante de Joseph Bonaparte, et adversaire de Napoléon III qui la fit exiler promptement. Mais j'anticipe.

A son retour d'Allemagne, il achève les Confidences de Nicolas Restif, dont les amours pour Mlle Guéant, la comédienne, et pour Jeannette Rousseau, la vierge bourguignonne, l'inspireront ; quand, le 30 octobre 1850 le « Corsaire », journal de droite auquel il avait collaboré, l'accuse d' « arborer la cocarde tricolore de la démocratie », « après avoir accepté des missions sous la Monarchie de juillet ». Gérard très affecté riposte, niant avoir jamais reçu de mission, mais bien une compensation, un dédommagement après l'interdiction de « Léo ». Il défend douloureusement sa position de « littérateur indépendant de tous les partis », concédant qu'il y a d'ailleurs moyen de servir bien son pays, que l'on soit « blanc » ou « rouge » et n'a-t-il pas en effet des amis des deux côtés ? Il mesure ses termes, revient sur certains, qu'il redoute de voir interpréter péjorativement, émaille Angélique de ces « repentirs », qui témoignent d'une profonde affliction allant jusqu'à la dépression nerveuse. Il multiplie ses dénégations : dans « Le Corsaire », la « Presse », le « National », dans les « Faux Saulniers », etc. Alphonse Karr dut calmer son esprit en réduisant cette triste affaire à ses justes proportions : « Si même vous aviez reçu une mission secrète, tel qu'on vous connaît, vous ne pouviez que servir la France, mais M. Scribe se venge de votre talent à sa façon, la manière forte. Sa revanche est digne de sa médiocrité ». L' « intention de nuire » à Gérard est évidente chez ses détracteurs, puisqu'on reproche à ce libéral, à ce « jacobin de 1830 » un glissement vers la gauche à l'heure même où, sous de multiples pressions, angoisse, réflexion, événements, âge, expérience, il va s'affirmer de plus en plus attaché à toutes les formes de la tradition : famille, Christ, royalisme, etc. Quand bientôt il va renier l'esprit « de réforme ou de philosophie », déplorer les révolutions, les autodafés de bibliothèques, qui en furent souvent la conséquence, la chute des religions, pire à ses yeux que la chute des empires.

Aussi, éperdu, cherche-t-il à fuir son chagrin, les disputes, les médisances.

« Fatigué des vaines querelles et des stériles agitations », il veut « reprendre des forces sur la terre maternelle », promener ses peines dans la campagne, marcher, se fatiguer, engourdir sa pensée, la disposer au sommeil, lui que l'insomnie torture chaque nuit. Il passe à Compiègne le jour des Morts et la Toussaint. Non loin, dans un de ces châteaux dont les poètes et les princesses font la parure, et dont adolescent il rêvait de franchir le seuil, Théophile Gautier règne en ami, aux côtés de Mérimée, qui en est l'Eminence grise. Lui, « banni de liesse », se contente des modestes joies de toujours : le son lointain d'une cloche l'accueille et lui dit adieu, l'emplissant, comme jadis Jean-Jacques, d'une exquise mélancolie.

Humble piéton, il arpente son pays en compagnie d'un ami, Georges Bell, ex-déporté de 1848 qui tout en marchant rumine ses vieilles rancœurs et déplore les conséquences de la révolution. Gérard ne le contredit pas : « de cette époque, il a, écrira-t-il, partagé les ardeurs et les amertumes ». Sa jeunesse s'éloigne avec elle... Acquiesce-t-il aux propos amers de son compagnon de promenade ? Sa plume, quand il évoque « l'Encyclopédie toute armée », frémit encore. A Ermenonville, le souvenir des philosophes qui « y préparèrent l'avenir » l'étreint encore fortement, jusqu'à l'angoisse. Mais pour l'instant il se cantonne dans sa recherche d'un paysage, laissant monologuer l'ami qui le veille affectueusement, le gardant de l'intempérance et le déchargeant des menus frais — trop lourds pour lui — de ces excursions hors ville.

Ainsi écrit-il « Angélique », ainsi rêve-t-il déjà « Sylvie », en voyant se lever un à un, dans la brume bleutée, les souvenirs. Ici les rondes enfantines, là une distribution de prix au pensionnat ; partout des châteaux désertés, parfois transformés en musées où il s'attarde à l'étude des peintres du nord qui lui dictent comment mettre en page : « Toujours des points de vue rosâtres ou bleuâtres dans le ciel, des arbres à demi effeuillés avec des champs dans le lointain ou, sur le premier plan, des scènes champêtres ».

Sous les tonnelles dépouillées, le vin et l'amitié aidant, il s'évade du rationnel et dans la voix éraillée d'une misérable chanteuse ambulante, croit réentendre la voix chérie de Jenny.

A l'approche de l'hiver il fallut renoncer aux promenades. Retenons-en d'abord ceci :

c'est que toutes les figures féminines de son œuvre, abstraction faite de celles de son théâtre, il les a dessinées là de 1850 à 1853. Si Célénie, Emerance, Sidonie, Sophie, Delphine, Sylvie, Adrienne, étaient des « crayons », on les classerait tous dans un unique dossier allant de 1850 à 1853.

Qu'est-ce que « Angélique » ? C'est un intermède destiné à faire patienter les lecteurs du « National » pendant qu'il cherche son livre rarissime : l'histoire de l'abbé de Bucquoy. C'est « la simple histoire d'une petite demoiselle et du fils d'un charcutier ». C'est aussi « l'opposition même en cotte hardie » ...Angélique de Longueval était fille de grande maison et admiratrice de Pétrarque. Quand elle avait l'amour en tête, « elle n'avait goût ni aux belles pierres ni aux belles tapisseries, et ne respirait que la mort pour guérir son esprit ». Un jour elle prit la résolution de fuir le château de son père, pour suivre, à cheval, en habits d'homme, son amant. Volant dans ce dessein l'argenterie de son père elle s'écriera : « Ce que c'est que l'amour ». Gérard, dans ses Confessions, voyait quelque chose de plus hardi que celles mêmes de Rousseau. Le style certes en est plus dru. Mais Gérard avait un motif plus personnel qu'esthétique d'aimer cette fille aux fortes résolutions : « Du moment, dit-il, qu'elle avait choisi l'homme qui semblait lui convenir, (comme la fille du roy Loys choisissant Lautrec pour cavalier et préférant pourrir des vers que de changer d'amour), elle n'a pas reculé devant la fuite et le malheur ».

Qu'avait fait d'autre sa mère que de suivre son entraînement ? Dans les héroïnes légendaires, c'est elle qu'il absout.

Au gré de sa rêverie Gérard tint, tant bien que mal, sa promesse de feuilletonniste : il fournit au « National » une sorte de pot-pourri, une « symphonie pastorale où revient de temps en temps le motif principal, tendre ou terrible, qui tonne enfin au final avec la tempête graduée de tous les intruments ».

Tout en mettant bout à bout les histoires d'Angélique, du Ligueur, de l'abbé de Bucquoy et ses propres mésaventures de « chineur » de bibliothèques, « au rythme d'un homme brisé depuis quinze ans au style rapide des journaux », il réunit les « Chansons et Légendes du Valois », pour le « National » aussi.

On ne peut ignorer en haut lieu que depuis des années il exhume de vieilles chansons ; il a fait une allusion non voilée à cette province à quelques lieues au nord de Paris, où il a recueilli et chansons et légendes, et cette province est le pays de prédilection de l'Empereur. Pourtant quand Napoléon III fera réunir en corpus les chansons et poésies populaires françaises, il fera appel à Mérimée, à Gautier, pas à lui, qui a à ses propres frais enrichi le patrimoine français, comme Goethe, Burger, Uhland, Korner, avaient rafraîchi le patrimoine allemand, — lui qui a accompagné « Chants et légendes du Valois » d'un précieux Manifeste de poésie.

En restituant à la France la Chanson de Renaud et celle de Biron, et la ballade du roy Loys, « un chant de guerre croisé avec un chant d'église », dessous le rosier blanc et le Joli tambour et le chant des filles à marier, Dine, Chine, Suzette et Martine, il ajoute : « Ceci ne le cède en rien aux plus touchantes ballades allemandes, il n'y manque qu'une certaine exécution de détail qui manquait aussi à la légende primitive de Lénor et à celle du roi des Aulnes avant Goethe et Burger. Mais quel parti encore un poète eût tiré de la complainte de St-Nicolas. N'est-ce pas là une ballade d'Uhland, moins les beaux vers ? Mais il ne faut pas croire que l'exécution manque toujours à ces naïves inspirations populaires... »

Dans ces vers composés sans souci de la prosodie, de la rime et de la syntaxe, il voit « la vraie langue française conservée, la poésie qui manquait aux bouquets de Chloris qui firent l'admiration des belles compagnies et que les poètes académiques du XVIIe et du XIIIe siècles n'auraient pas comprise. « Ces vers-là lui fournissaient la preuve qu'on peut ne pas rimer en poésie ». Il préconise, à l'époque où Gautier cisèle Emaux et Camées, le vers blanc, le système des longues et des brèves.

Le 20 novembre 1850 la Ville de Paris décida de démolir la masure de Gérard et il reçut un avis d'expulsion avec un mois de préavis et l'offre, dont il n'usa point, d'une indemnité de 20 F.

C'est le début du paupérisme, qui aggravera sa mélancolie :

« La société de mes amis ne m'inspirait plus qu'une distraction vague ; je ne pouvais lire ni comprendre dix lignes de suite ; je me disais des plus belles choses : « Qu'importe, cela n'existe pas pour moi ».

XV

« Des circonstances fatales, dit-il dans Auré-lia, préparèrent longtemps après, une rechute qui renoua la série interrompue de ces étranges rêveries ».

Si l'on prenait à la lettre cette interprétation poétique de ses crises, on pourrait penser qu'il fut dix ans à l'abri de son mal, mais il n'en est rien : entretemps il y eut les soins donnés par Aussandon, l' « accident » peu après la mort de Jenny, la « petite chute » en 1848. Et sans doute bien d'autres rechutes dont ne témoigne nul document.

Ces circonstances fatales qui l'aggravèrent brusquement, ce furent le Coup d'Etat, l'arrestation massive des monarchistes et des républicains, le 2 décembre 1851.

Fin septembre 1851 il travaillait pour la seconde « Revue de Paris », qui devait paraître en octobre, à une étude sur Quintus Aucler, « dernier païen de la République », quand ayant dîné chez Rigo, il fit une chute assez grave, accompagnée de contusions, d'entorse, et qui pourtant n'alarma pas le maître de maison.

Le lendemain, Gérard, empêché par là de remettre sa copie à Maxime du Camp et à Gautier, les priait de le prendre au sérieux : « Ne riez pas, leur dit-il, c'est un accident dont j'ai failli mourir ».

Cette chute chez Rigo, il la romancera dans « Aurelia », y ajoutera fièvre et évanouissements, la reliera au souvenir de Jenny, la rendra enfin méconnaisable en lui conférant la noblesse de la mélancolie qui en fut la première origine. Les jours suivants il est inerte et Théo, allant le voir à l'hôtel où il s'est réfugié pour être moins seul et se faire panser, s'alarme de son moral fort bas et alerte aussi les amis. On discute de son cas, on hésite et on décide de le confier au fils du docteur Esprit Blanche qui vient de mourir dans la maison qu'il a fondée.

Avant de se laisser hospitaliser chez Emile Blanche, le futur ami, Gérard voulut achever l' « Imagier de Harlem », travailler encore à la traduction de Kotzebue, aux « Précurseurs du socialisme » et finir Quintus Aucler.

Il était chez Blanche à l'heure du Coup d'Etat. Trois semaines plus tard, il en sortait pour assister à la création, le 27 décembre

1851, à la Porte St-Martin, de l'« Imagier de Harlem ». Un nouveau drame se préparait.

Blanche l'avait accueilli tout dépourvu ; il sort de cette maison hospitalière grâce à un léger subside que lui a obtenu Houssaye. Il compte sur le succès de l'« Imagier », et, ayant loué une chambre d'hôtel rue de Lille, « vend la peau de l'ours » ; il emprunte modérément, trop pour lui, à Méry, co-auteur, et à Porcher, son agent théâtral.

Puis une fois encore il demande l'appui de Janin : « On donne ce soir une pièce de Méry et de moi. On a coupé un tiers de l'ouvrage et j'ai peur que tout ne soit pas bien compris. L'idée est tirée d'une légende allemande de Klinger représentant les difficultés qu'ont éprouvées les premiers inventeurs de l'imprimerie pour faire triompher leur pensée ; cela se promène dans différents pays où ils éprouvent des obstacles et cela forme une sorte de tableau du XV siècle découpé en quatre ou cinq figures historiques. Le personnage principal qui selon les légendes locales est Faust ou Gutenberg ou Laurent Coster n'a été pour nous qu'un type général de l'inventeur d'une grande chose, contrarié par le mauvais esprit. La pièce est religieuse au fond comme un Mystère du Moyen-Age. Elle est dénouée par l'élection de Jules II qui amène la renaissance des lettres et des arts et la conclusion : que c'est la Providence qui favorise les lumières et les progrès que le Diable voudrait supprimer. L'inventeur a auprès de lui deux femmes : la femme bourgeoise qui ne le comprend pas et le fait souffrir, mais qui le sauve par le sentiment religieux, et la femme idéale, son rêve, le rêve éternel du génie dominé par l'amour-propre, et que l'auteur de Faust avait symbolisé par Hélène ; ici c'est Alilah, c'est-à-dire Lilith, la femme éternellement condamnée par la tradition arabe, et dont le Démon se sert pour séduire tous les grands hommes et leur faire manquer leur but. Laurent Coster a une biographie assez obscure, qui permettait de se servir de lui. Selon la pièce, il vivrait trop longtemps. Mais comme nous sommes ici dans le fantastique, du moment qu'il s'est livré au diable sa vie peut se prolonger. Les noms de sa femme et de sa fille sont historiques ainsi que plusieurs détails. Sa statue est à Harlem. L'auteur d'un ouvrage intitulé « Des origines de la typographie » en a longuement parlé. Il y a beaucoup de Faust dans la pièce et même du second Faust, ce qui ne contribue pas à l'éclaircir. Mais vous savez que c'est une manie chez moi. Rappelez-vous Léo Burckart de la même Porte St Martin, et soyez-moi bon. Je vous ai donné, je crois, ma traduction de Faust et aussi mes volumes sur l'Orient. Je vous promets les « Illuminés » qui vont paraître et contient (sic) plusieurs biographies curieuses du socialisme actuel. Souvenez-vous que je suis un homme qui travaille le plus sérieusement du monde. Le succès de la pièce me ferait moins de bien que sa chute ne me ferait de tort. C'est pourquoi je vous rappelle notre vieille et constante amitié ».

Il est pénible de voir Gérard se soumettre aux exigences de la stratégie littéraire et se justifier devant un homme qui déjà a raillé ses Faust avec hauteur, mais il est sage, il sait ce qu'a valu à Restif, son modèle, la belle ambition de faire cavalier seul : la conspiration du silence. Malheureusement pour Gérard tant de précautions oratoires ne lui servirent de rien ; Janin, malgré l'humble et pathétique prière, dénonça au public une salle « mal chauffée », et assassina l'espoir de Gérard dès le titre de la pièce : « L'imagier de Harlem, commenta-t-il, rondeau en cinq actes, dix tableaux, en bonne prose, en méchants vers, par MM. Méry et Gérard de Nerval ».

Y avait-il, dans cette pièce sur la Cinquième Puissance, des « allusions » déplaisantes et les prit-il pour lui ? Gérard certes y maniait le fouet. Le fait est qu'il enterra la pièce, et pourtant c'est le même homme qui sur un autographe de Gérard écrira un jour de sa main : « Je l'ai bien aidé de toutes les façons ».

Gérard aurait pu, lors, s'écrier comme Restif : « Cet homme pouvait me donner une existence et je retombe dans le néant ».

Le scénario habituel de l'insuccès se déroula : affluence d'abord, puis le « four ». Théo cette fois en était sûr pourtant, « l'Imagier » était le chef-d'œuvre de son ami. « A certains endroits, disait-il, on croit entendre l'oracle d'un dieu inconu. Ses rimes sonnent comme des timbres d'or, sa phrase est magnifique, sa tournure, de la solennité la plus grandiose ».

Le 6 janvier 1852, Gérard qui redoute le pire, lance à son ami de Stadler un S.O.S. ; il est un peu malade à l'hôtel de Normandie, rue du Chantre. Stadler le recueille, lui donne son propre lit, le veille, relayé par Nadar, appelle un médecin qui diagnostique « fièvre chaude ». On hospitalise Gérard : il a l'érésypèle. Mais entre son appel et l'hospitalisation à la Maison de santé municipale faubourg St-Denis, Paris a été bouleversé par un événement grave : le 9 janvier, le Chef de l'Etat a publié une liste impressionnante d'expulsion : Hugo doit quitter la France, Noël Parfait va rejoindre Dumas à Bruxelles, des journaux sont supprimés, les proccès de presse vont leur train, les amis de Gérard se dispersent, ses débouchés se raréfient, et s'il y a liste d'expulsion, il y a aussi, sur place, listes noires. C'est assez pour atterrer un sensible comme lui.

Bien entendu sa pièce subit le contre-coup de la situation générale : comme on persécuta Bocage, on persécute Marc Fournier.

C'est le 23 janvier, alors qu'il vient d'entrer à l'hôpital, que Méry lui apporte la nouvelle de l'échec de « l'Imagier », ce long rêve de si longue date : Fournier, avec mille amicales précautions et beaucoup de déférence, dit aux deux amis leur malheur : la pièce, depuis 12 jours est au-dessous de ses frais. Depuis le 11 donc, c'est-à-dire le surlendemain des expulsions, le directeur s'est vu « contraint sous peine de mort » d'interrompre les représentations de cette pièce dont les grosses recettes des premiers jours ont à peine suffi à couvrir les dépenses. « Vous savez, ajoutait Fournier, ce que la légion de mes ennemis a fait et fait encore pour ruiner mon crédit. Aujourd'hui même si je n'invente pas de miracles pour me défendre, je suis un homme à terre ».

Gérard lut la lettre de Fournier, nous dit Méry, et porta les deux mains à son front comme pour contenir la raison qui s'échappait. Puis un éclat de rire nerveux contracta son visage mais les yeux gardaient leur tristesse sombre et se mouillèrent de pleurs.

Il quitta l'hôpital le 15 février. Deux jours plus tard, le décret du 17 février « frappait, dit du Camp, ruinait les écrivains qui vivent du journal par la critique dramatique, par la critique d'art, par le roman.... On pouvait être accusé d'avoir mis le pied sur le domaine interdit lorsqu'on parlait d'un musée, — qui relève de l'Administration, — de la Comédie française, qui relève du ministère de l'Instruction publique, de Bicêtre, qui relève de la Préfecture de la Seine, etc... ».

Quantité de feuilles disparurent, la littérature devait se réfugier dans les journaux que la tourmente n'avait pas emportés....

Gérard ainsi voyait s'amenuiser ses chances, tandis qu'il errait d'hôtel en hôtel, ses meubles par-ci, son courrier par-là, souvent égaré et presque toujours périmé, vivant de secours, et trottant menu.

« Tu vois que nous avons un bon ange, dit-il à Wey qui lui obtient un subside encore, et que tu es le bon génie. Je l'avais rêvé et cela est ». Le fait qu'il rêve de secours montre où il en est et qu'il n'en mène pas large. La question du gîte et du loyer devient cruciale, il est bien près de devenir vagabond : il se fixe pourtant : pas pour longtemps, ayant trouvé « ce qu'on ne trouve plus guère dans Paris, une vue, rue du Mail, sur deux ou trois arbres occupant un certain espace, qui permet à la fois de respirer et de se délasser l'esprit ». Mais il voudrait plus d'air, plus d'horizons : voir « le soleil découper des angles sur les murs, entendre dehors des gazouillements d'oiseaux, fût-ce de simples moineaux francs ». Toutes ces pensées le ramènent au Valois, au clos de Nerva, son seul bien.

« *Quand on n'a pas de quoi payer son terme,*
Il faut avoir une maison à soi ».

XVI

En mai, trois mois après avoir quitté l'hôpital, Gérard veut se « dégourdir les jambes et l'esprit », quitte la rue du Mail et rejoint Houssaye dans le Nord ; il parle d'aller en Allemagne, à Copenhague peut-être. Mais à Bruxelles, il s'empresse vers les émigrés, chez Dumas, qui avec Noël Parfait, travaille « effroyablement » ; chez d'autres, dont il fait alors la connaissance, dans quel but ? Par pure sympathie envers des persécutés ? Il est nanti de lettres de recommandation pour eux et demande à l'un d'eux des « indications pour voir les collections », langage évidemment à double sens.

Il divague aussi, faut-il le dire, « d'estams » en « riddecks » et de « riddecks » en « kermesses ». Euphorique il fait lever les garçons d'hôtel à six heures du matin, pour se faire servir jambon, fromage et bière (après quoi, dépourvu, il se contentera de bière et de harengs) ; il crie victoire, à Paris il ne se levait plus qu'à midi, sa figure ressemble à une pomme, ses pieds ne sont plus engourdis, il est « redevenu un homme ». Il souhaite même que l'on donne congé de cette «turne » rue du Mail, dont la location lui pèse alors qu'il se sent des ailes.

A la Haye, on le ramène au sentiment de la réalité. A quoi bon fuir ce qui le suit partout ? Le roi de Hollande ayant commandé un opéra à Scribe, « pour favoriser la poésie française », s'en est trouvé fort mécontent. « Mais aussi, pourquoi à Scribe ? » s'étonne Gérard. Réponse : « Mon Dieu, on ne sait à qui s'adresser entre tant de poètes français ; on choisit alors celui qui tient la corde ».

Et celui qui tient la corde nous étrangle, répond-il.

Ainsi brusque-t-il son retour, projetant d'assister à Creil à la grande fête folklorique des tireurs d'arc que dans « Sylvie » il situe à Loisy. Il voudrait s'établir dans les environs de Paris pour rédiger en paix son voyage dont il n'a pas écrit le premier mot ».

Mais d'abord il réunit les « Illuminés », achève les « Confidences de Nicolas », subit l'influence de ce « retour au pays », de Restif, qu'il voudrait tant vivre et que, faute de le vivre, il écrira. « Sylvie » n'est que cela : un

« retour ». Il découpe dans les « Nuits d'octobre » quelque chose, dit-il pour « Sylvie » : la vierge valoise a donc enfin son nom, son titre vient d'éclore. Gérard avait pensé d'abord à l'appeler « L'amour qui passe » ou « Scènes de la vie ».

Puis un été torride le chasse à la campagne. Tous le croient « bien portant ». Cormenin écrit à Théophile, alors à Constantinople, qu'il est « frais et gras » malgré la chaleur. (Lui-même se dit souvent frais et rose, alors qu'il est bouffi, cyanosé, et que son masque boursouflé dit tout son drame). Enfin il foule et foule encore les chemins du Valois. Le voici de nouveau là où « les amoureux se répondent comme Myrtil et Sylvie » ; là, trois garçons pleurent la même jeune morte, et celui qui la pleure le mieux est celui qui ne l'a pas connue mais l'aimera pendant l'éternité ; là, parce que sa mère est morte dans un pays glacé, des figures blondes « se détachent et tombent glacées à l'horizon de ces bois baignés de vapeurs grises » ; il cherche son « la », et tandis qu'à la porte de Reims il contemple deux jeunes foraines, l'une vive et brune, l'autre blonde et rieuse, qui évoquent Mignon et Philine, « voici qu'un rêve germanique lui revient (et prend corps) entre la perspective des bois et l'antique profil de Senlis ».

Il ne quittera plus le Valois que pour y revenir, faisant « le paysage de son action », fixant son inspiration vagabonde sur de petits morceaux de papier. Il croit n'en avoir plus que pour trois ou quatre jours, un bon coup de collier, mais il compte sans sa fatigue extrême : le coup de collier durera plusieurs mois, et de retouche en retouche, l'été suivant, il « cherchera encore ses paysages ». « Je l'écrivais péniblement, dira-t-il, de « Sylvie », presque toujours au crayon, sur des feuilles détachées, suivant le hasard de ma rêverie ou de ma promenade ». Et quand en juillet 1853 il touchera le but, il confiera encore à l'éditeur, « Je suis sûr de l'histoire mais non de ne pas l'écourter. Après tout nous ferions un autre morceau, sous un autre titre. Cependant s'il y avait un moyen. La seule hâte me fait travailler, comme toujours. Sinon je perle trop ».

Cette fois pourtant c'est bien fini : « Sylvie » va paraître.

Revenons à ces promenades au nord de Paris qui feront partie des « Nuits d'octobre ». Il s'y peint vigoureusement sur le vif, badaud baguenaudant, ratant ses coches, se laissant accrocher par le premier venu, faisant dans les cafés des « chapelles », échouant dans des « bouchons » qui lui inspireront une robuste fresque de cabarets. Parti pour Creil, où il se propose d'assister à la fête de l'Arc, il s'attarde en beuveries, et dans le sommeil de l'ivresse fait des cauchemars significatifs. Des spectres l'insultent en songe : « Fantaisiste, essayiste, réaliste, » lui crient-ils. « Le fantaisisme, disent-ils, conduit tout droit à l'adoration des monstres, l'essayisme amène ce faux esprit à pourrir sur la paille humide des cachots ; on commence par le cabaret de Paul Niquet, on finit par se faire arrêter à Crespy pour vagabondage et troubadourisme exagéré ». Qui lui reproche cela ? La critique, l'opinion publique, sa conscience ? Toute honte bue alors il se promet de se ranger, mais non sans ironie ni sans rage. « Il ne fera plus que des romans vertueux et champêtres, visera aux prix de poésie », etc...

Revenu à lui, c'est avec la même mélancolie qu'il fait le bilan de sa vie. Né poète, il croit n'être plus qu'un rêveur en prose, un « humble prosateur ». Houssaye « s'inquiétant d'apprendre comment il a été poète », il lui répond en écrivant les « Châteaux de Bohême », qu'il compte au nombre de trois : le premier étant le doyenné, « leur Louvre illuminé », le second son rêve théâtral, tombé dans le troisième dessous ; et c'est avec lui, dit-il, que la poésie tomba dans la prose ; le troisième, où parviennent peu de poètes, c'est le Château de Fantaisie », où apparaissent les princesses divines. Il poursuit : « J'ai fait les premiers vers par enthousiasme, les seconds par amour, les derniers par désespoir ». Ce seront alors les « Chimères », dont l'Almanach cabalistique inaugure la publication.

Gérard désabusé écrit à ce moment à l'éditeur Didier :

« Me suivez-vous toujours de château en château, de ruine en ruine ? ».

En novembre il préface ainsi les « Illuminés » : « Il n'est pas donné à tout le monde d'écrire l'*Eloge de la Folie,* mais sans être Erasme, Voltaire ou Fontenelle, on peut prendre plaisir à nettoyer d'anciennes médailles, à restaurer de vieilles toiles d'une composition bizarre, dont la peinture éraillée fait sourire l'amateur moderne. Dans ces temps-ci où les portraits ont quelque succès, j'ai voulu peindre les excentriques de la philosophie ».

Suivent, apès cette déclaration de dilettantisme, l'histoire de Raoul Spifame, sosie de Henri II et qui se prenait pour le roi ; la vie de l'abbé de Bucquoy, celles de Cazotte, Cagliostro, Restif, Lamennais, Proudhon, Mickiewicz, Towianski, son ami Considérant et l'avocat-tribun Leroux, qui avait été un moment l'idole de George Sand.

Ces travaux, malgré sa déclaration de pur esthète, l'ont tourmenté : à Ermenonville, l'évocation de certains de ses personnages l'ont, de son aveu, « oppressé » en 1850 ; ailleurs il dit que, de certaines idées, il veut « se délivrer l'esprit ». Précaution envers la censure ? Peut-être. Toujours est-il qu'il est de plus en plus anxieux, qu'il fait ce qu'il appelle des « bêtises, c'est-à-dire qu'il a bu plus que de raison.

Et que l'hiver qui vient va lui arracher d'incroyables cris de misère. Ils iront, ces cris douloureux, vers la petite princesse de Solms, cette jolie princesse Brouhaha, qui apporta dans son taudis de la rue du Mail une bouffée de jeunesse et de tendre féminité, durant le trop bref séjour où l'Empereur la toléra en France.

Gérard, ayant rencontré dans ses vagabondages un ménage plus enfoncé que lui dans le paupérisme, recommandant ces pauvres gens à sa nouvelle amie, après leur avoir donné tout ce qu'il possédait, son unique manteau et 40 centimes, s'écrie : « Il y a donc quelqu'un de plus pauvre que moi par le monde ! ».

Il a froid et il a faim. Le poème qu'il dédie à la jeune princesse après s'être avec elle mystérieusement brouillé, est à la fois son portrait et un tableau de sa misérable existence : voici de ce poème, des extraits significatifs :

Il s'y dépeint :

« *Vieux avant l'âge et plein de rancunes amères*
Méfiant comme un rat, trompé par trop de gens,
Ne croyant nullement aux amitiés sincères... »

Qu'a-t-il fait de cette juvénile amitié offerte ?

« *J'ai mis exprès à bout les nobles sentiments*
Qui vous poussaient, Madame, à calmer les
(tourments
D'une âme abandonnée au pays des misères ».

Et voici son décor :

« *Car ma plume est gelée aux jours noirs de l'hiver.*
Sans feu dans mon taudis, sans carreaux aux fenêtres,
Je vais trouver le joint du ciel et de l'enfer
Et j'ai pour l'autre monde enfin bouclé mes guêtres.
J'ai fait mon épitaphe et prends la liberté
De vous la dédier dans un sonnet stupide
Qui s'élance à l'instant du fond d'un cerveau vide,
Mouvement de coucou par le froid arrêté :
La misère a rendu ma pensée invalide.

Le sonnet stupide, le voici : c'est sa propre épitaphe, qui, s'achevant sur le sentiment de l'absurdité de la vie. (« Il s'en ira disant Pourquoi suis-je venu ? »), s'accroche pourtant encore, accroche encore le poète à sa raison d'être, la poésie :

« *Un jour il entendit qu'à sa porte on sonnait.*
C'était la Mort. Alors il la pria d'attendre
Qu'il eût posé le point à son dernier sonnet,
Et puis, sans s'émouvoir, etc... »

N'est-ce pas que déjà, comme Angélique, il ne respirait plus que la mort pour guérir son esprit. Mais l'amour de la Poésie l'emporte.

XVII

Cet hiver-là, le gouvernement tenta d'instituer une « littérature d'Etat » et sa première initiative en ce sens fut de rivaliser avec la presse, d'instituer un journalisme d'Etat : le Moniteur se réserva, outre le monopole de la politique, toutes les rubriques grâce auxquelles subsistaient encore les journaux, de nombre fort réduit. Cette concurrence abusive, ajoutée au caprice qui faisait suspendre ou supprimer, pour un oui, pour un non, les rares journaux survivants, c'était la mort de ceux que le Gouvernement n'enrôlait pas dans sa feuille officielle. Si l'on ajoute à cela les intrigues de salons et d'alcôves, l'étroite et mesquine surveillance qu'exerçait sur chacun en particulier et sur les moindres démarches le directeur de la Sûreté générale, Collet-Meygret, on comprendra qu'un poète sans défense comme l'était et le fut toujours Gérard, en était réduit à la misère. « L'Empereur, disait du Camp, ignorait ces vilenies, (non point la monopolisation de la presse et ses conséquences, mais les coups bas, les trafics d'influence au bas de l'échelle), mais on les commettait en son nom sous prétexte de protéger son régime, et l'histoire est en droit de les lui reprocher ».

Gérard se rejeta sur l'espoir d'une aide amicale : le Ministère accordait des primes d'encouragement à certains auteurs dramatiques. Et il avait au ministère une bonne connaissance, Perrot. Une fois de plus il crut naïvement aux protestations de sympathie, et sollicita ce secours :

« C'est, écrivit-il à Perrot, un coup d'épaule qui sauvera mon hiver ». Il ajouta, non sans amertume : « Je ne crois demander que ce qu'on pourrait placer moins bien ». Cette réflexion lui aliéna-t-elle Perrot ? Celui-ci habilité pour présenter les œuvres au jury, déclara celle de Gérard irrecevable.

Sur ce coup dur, le pauvre garçon s'en fut chercher réconfort chez son père. Lui conta-t-il ses déboires ? Lui demanda-t-il de l'argent ? Le docteur Labrunie le reçut mal ; sa gouvernante était malade, il était dans le souci, obligé de vaquer seul à son petit ménage ; allant seul quérir du bois au grenier. A la peine de son fils il opposa sa peine et son mutisme, et Gérard décontenancé ne put que lui tendre une bûche en silence, puis il s'en fut. Son errance indécise le conduisit chez Heine, qui venait de quitter l'hôpital et était encore alité.

— Tout est fini, déclara Gérard sans préambule.

Et, à la femme du poète, qui lui demandait ce qu'il avait, il dit encore :

— Je ne sais. Je suis perdu.

Cette scène, il la relate dans « Aurélia » en la dégageant de tout son contexte social. Cela se passait le 6 février 1853. On le fit conduire en fiacre à l'hôpital du faubourg St-Denis où l'on diagnostiqua « fièvre » et où, tout en subissant une première cure de désintoxication, il échappa pour quelques jours au froid et à la faim.

Un secours le sortira de là : 40 F, que lui accorde le gouvernement pour une semaine de frais d'entretien : avec effet rétroactif. L'hôpital aussitôt réclame un nouveau versement, faute de quoi « le malade sera considéré comme sortant. Ayant obtenu ce secours encore, il aura les mains vides et laissera même une dette de 17 F.

Durant quinze jours il subsiste par miracle, sans ressources, jusqu'à ce que lui arrive la promesse — la promesse seulement — d'une subvention de 250 F. Entre temps son père reçoit en son nom une avance sur le fermage de Nerva : 18 F pour 1853 et 1854 par anticipation. Ces quelques francs il va les dépenser à Chantilly. Il travaille à présent avec peine et c'est pour lui le plus terrible sujet d'alarme : « C'est déplorable, cela tient peut-être à vouloir trop bien faire, ce n'est pas maladie réelle mais lourdeur d'esprit ».

Ecrivant à Liszt de « ce pays où il va quand il est bien portant », il fait allusion à la situation des écrivains en France : « Vous comprenez quoique de si loin combien les affaires des dernières années ont dérangé les relations ». Il touche au projet de faire du second Faust un opéra, « puis la maladie arrive : plus rien ».

Fin mai seulement il reprend goût au travail, et bénit les amis qui l'ont tiré de ce mauvais pas, surtout Stadler, le tout dévoué :

« Je me trouve enfin bien portant, confirme-t-il en juin, car jusque-là j'avais toujours des papillons noirs. Je suis un grand chien de ne pouvoir vous dire combien je vous dois et à quel point vous m'avez sauvé cette année comme l'autre. Il est impossible qu'une créature ait plus de reconnaissance pour une autre ».

Oublié du public, il refait alors des services de presse du « Voyage en Orient », au moyen d'exemplaire qu'il achète à crédit : « Mon motif principal c'est que je termine un article pour la « Revue des Deux Mondes » et que, comme il y a longtemps qu'on n'a rien vu de moi, je ne suis pas fâché des propositions tendant à me ressusciter un peu ».

Cet « article » c'est « Sylvie », qu'il a proposée trois sous la ligne et qui heureusement trouve le havre d'une revue. Une fois encore, en juillet, il retourne à Chantilly, revoit la Thève et la Nonnette, ses chères rivières, croise dans les bois les amazones, salue les femmes du pays, qui toutes sont belles à ses yeux, qui toutes ont dans les gestes « de la pudeur et de la dignité ».

Et « Sylvie » parut le 15 août, tout imprégnée du Valois. « Sylvie » dont il dira simplement : « C'est une de mes dernières nouvelles ».

La correction des épreuves a ajouté à sa fatigue ; malgré l'aide de Bell et de Méry. Ayant touché quelque argent, il boit, il a de l'insomnie, il vagabonde. Lors d'une visite à son père, celui-ci le trouve fébrile et agité. La crise est proche.

C'est alors que le jeune docteur Evariste Labrunie, son cousin, avec qui Emile Blanche a resserré ses liens, l'invite à dîner sans façons. Dîner funeste, à la suite duquel, au cours de longues heures hallucinées, il cherche querelle aux passants, allant de l'apostrophe à l'invective et venant de l'invective aux mains, jette à la pelle le peu d'or qu'il possède, et est enfin conduit dans un état démentiel à l'hospice de la Charité par Bell, témoin d'une partie de la folle équipée, et par Chenavard, gai camarade rencontré par hasard. On lui passe la camisole de force et c'est très agité que Blanche ensuite le reçoit, pour la deuxième fois, à Passy.

Il est dans « une maison superbe et dans de beaux jardins », rassure son père sur « cette campagne », invite tous ses amis. Au verso de ces invitations, Blanche, attentif, appose son veto : on peut venir le voir, mais pas tous à la fois.

On est heureux chez Blanche au point que certains s'installent à vie : tel Antony Deschamps.

La mère et la fiancée du médecin « tempèrent et affermissent son autorité par leur présence ». Un mois après son admission Gérard dîne à la table avec tous ses amis ; il sort, fait son courrier, lit ses journaux.

Un seul point noir, mais d'importance, il n'a pas d'argent, sa liberté il n'en peut donc rien faire et il se traîne, pensif, inquiet, timide, morose, inattentif, peu galant envers ces dames, à peine poli, tout dépourvu d'esprit.

Mais qu'il touche quelque monnaie, qu'il sorte en ville, on le voit revenir bruyant, excité, familier, fanfaron, porté aux plaisanteries d'un goût douteux dont ensuite il demandera pardon.

Mi-septembre il doit toucher des droits d'auteur et dès lors ne pense plus qu'à cela — et à partir — : il emploie Bell pour lui en procurer ; sort-il ? c'est « quoero money ». Espiègle, « canaglia », il rate alors ses rendez-vous, et s'en excuse à peine : « Il y a des jours comme cela », voilà tout.

Quand il revient à lui, il pleure.

Que faire de lui ? Blanche hésite. Il le libérerait s'il se trouvait dans Paris un seul être qui « veuille bien » de Gérard, mais nul n'en veut. Il pressent le docteur Labrunie, mais celui-ci infirme, vieux, seul (sa gouvernante vient de mourir), se récuse. C'est un pauvre homme de quatre-vingts ans, un homme sans phrases : « J'ai, écrit-il, envoyé rue du Mail, le local de Gérard est loué. Il m'est impossible de recevoir chez moi ses effets, mon appartement est trop étroit, je n'ai qu'une petite chambre pour ma bonne, mais elle est remplie de ses effets que ses héritiers, que je ne connais pas, ne sont pas prêts à retirer. Gérard peut indiquer à peu près le parti qu'il veut prendre à ce sujet. Sans doute (et ici on sent la vieille morsure, la jalousie du vieillard envers les « responsables » du mal de son enfant), sans doute un de ses amis pourra lui être utile. Pour moi qui suis seul et qui marche à peine, je ne puis même faire des informations (de décès) et je ne puis lui être utile en rien. Veuillez, Monsieur, recevoir mes remerciements pour vos bontés pour lui et me croire votre très humble et très dévoué serviteur ».

Blanche, pour ce refus si logique, ne conçut envers son vieux confrère aucune sorte de ressentiment : il le plaignait et eut toujours avec lui les rapports les plus amicaux. Il garda lui-même Gérard et se chargea de ses meubles, y compris une bibliothèque imposante, deux cents ouvrages ésotériques environ, histoire, religions, cabale, astrologie, une tour de Babel, « de quoi rendre fou un sage ». Et de quoi écrire « Aurélia ».

Et tandis qu'on déménageait ce « capharnaüm », Gérard, qui venait de recevoir ses premiers fonds importants depuis sa crise, et, d'honneur au moins, les devait à son médecin, les dissipait follement, sachant qu'il faisait mal, sachant que Blanche le traitait à ses dépens, mais trouvant son excuse, sa « circonstance atténuante », dans la certitude qu'il peut gagner encore beaucoup d'argent...

On le ramena dans un état de délire furieux,

et Blanche une fois encore usa de bains, de calmants, de purges, de solitude et de conseils, mais plus Gérard était angoissé, plus il devenait indocile et injuste.

« J'ai été ramené chez Blanche dans des circonstances particulières, et par des gens qui me sont suspects. L'agitation nerveuse, je ne puis la nier mais qui en est la cause ? J'ai des papiers que je ne voudrais pas voir entre toutes les mains ; nous vivons dans une époque de complots et je me méfie de tous excepté de ceux que je sens bienveillants : ils sont rares ».

Délire de persécution ? Craintes légitimes ? Pour Stadler il se montre plus lucide : « On m'a ramené à la maison Blanche gravement malade, à la suite d'excitations que je vous expliquerai ».

Triste hiver que cet hiver où un poète, par besoin de vivre, de bouger, saute, fait de la gymnastique, rit comme un enfant, chante pour s'étourdir, et doute finalement, à se voir entouré de débiles mentaux, s'il n'est pas réellement fou. Sa chambre est située à l'extrémité d'un corridor habité d'un côté par des fous, et de l'autre par les domestiques de la maison. Par sa fenêtre il voit se promener les fous.

« On ne comprend pas assez, dit-il, que le voisinage des malades rend malade, surtout dans les affections mentales ou nerveuses ».

Où irait-il pourtant, ne sachant plus se diriger, ne sachant plus ni garder son argent ni administrer son budget ? Sa consolation c'est la visite de son père et d'Evariste Labrunie : il cherche protection auprès de celui-ci.

« Ecris-moi, envoie mon cousin, viens si tu peux, que je voie un visage de parent, ne comptant plus guère sur mes amis ni sur mes amies qui se laissent, je trouve, bien facilement décourager ou consoler de ne me voir plus ».

C'est que Passy alors était loin de Paris ; que ses amis étaient occupés, ou soucieux, ou malades, et le temps maussade par ces jours les plus courts de l'année. Au mieux ils ne font que des apparitions-éclair. Et lui, qui n'a pas d'argent pour l'omnibus, s'en va alors à pied à leur rencontre, donnant la mesure de son besoin d'aimer :

« Ce Chatterton de notre âge, écrit Audebrand, vivait avec nous le plus possible ; toutes les fois que Gérard pouvait s'échapper de chez le docteur Blanche, il accourait à pied de Passy pour grossir notre bande et se mêler à nos logomachies de bohêmes ».

Et l'on ne peut s'empêcher après coup de déplorer que, au lieu d'offrir à Gérard la participation à des « logomachies », nul de ces bohêmes ne lui ait offert le gîte et le couvert.

Aussi Blanche, qui a, lui, charge d'âmes, et

qui se méfie des bohêmes et de leurs logomachies, rarement arrosées de jus de fruit, flanque son patient d'un mentor, un sien parent employé dans sa clinique.

Il ne donne aux deux promeneurs que juste l'argent qu'il faut pour l'omnibus ; mais il compte sans l'esprit débrouillard de Gérard qui a bien des tours dans son sac et ne fait qu'une bouchée du trop confiant Bertrand. Il entraîne celui-ci où il veut et ne craint pas de lui jouer des tours picaresques : « J'emporte votre bourse neuve, mande-t-il à Bell, absent lors de sa visite, et vous laisse le porte-monnaie de M. Bertrand. Je vous dirai pourquoi ». Pourquoi, on le devine.

Enfin ces ruses vénielles ne suffisent plus à sa dépense, il conçoit « un système d'emprunt pour lequel il devra engager très sérieusement sa signature » : il vient de proposer sa plume à la grande presse d'affaires.

Quand Dumas rentra d'exil, amnistié, il fonda sa propre revue, le « Mousquetaire » et fit appel à Gérard, lui donnant sur-le-champ vingt écus à valoir. C'en était assez pour faire le grand seigneur et Gérard n'y manqua pas, proclamant ensuite son droit au gaspillage, cherchant querelle à Dumas au sujet d'anciens emprunts du temps du « Monde Dramatique », enfin lui demandant pardon. Le tout en l'espace de quelques heures. Dumas l'avait engagé à écrire « sur trois jours de folie qu'il nommait, lui, jours de raison » et sa riposte est superbe : « C'étaient trois jours de liberté, suivis de trois nuits sans sommeil, à 100 F par jour, que j'ai dépensés noblement : 4 louis tournois, c'est-à-dire 96 F plus 20 sols. Est-ce trop pour un gentilhomme ? Je vous demande s'il y a de quoi étonner les populations et justifier les mesures sévères dont ensuite j'ai été l'objet. Cinq napoléons aujourd'hui : mais c'est ma dépense naturelle et je les ai dépensés journellement toutes les fois qu'on m'a laissé maître absolu de ma bourse ».

Mais la « Cigale » s'étant ainsi emportée, s'incline ensuite : « Je ne vous rendrai jamais vos bons conseils et votre exemple, qui m'ont fait ce que je suis, c'est-à-dire ce que je veux être, un prosateur énergique et un conteur facile ».

Au fond il aime bien Dumas, (il reprochera même à Mirecourt de prendre son parti contre le négrier, de « démolir Dumas avec sa boule »), et Dumas apprécie son talent, s'il ne comprend pas l'homme.

C'est le 11 novembre que Dumas lui a donné les vingt écus ; le 14 que Gérard lui écrit sa lettre cavalière, aussitôt par lui démentie. Et le 24, Blanche le trouve en larmes dans sa chambre : il croit que son médecin ne le « comprend plus », il veut que l'on assemble un Conseil d'amis, et un Conseil de famille, il veut sortir sans surveillance. Il proteste qu'il aime Blanche « comme un parent, comme un frère », mais une tristesse indicible l'emporte en lui sur la raison. Dans quelques jours ce sera l'anniversaire de la mort de sa mère et son deuil de vieil enfant abandonné, toujours refoulé, ressurgit : « C'est assez faire le fou quand on est raisonnable, et ce n'est pas le jour anniversaire de la mort de ma mère que j'en aurai le courage. Aujourd'hui, jour anniversaire de celui où ma pauvre mère est morte en Silésie, suivant le drapeau de la France mais laissant son fils orphelin, je me suis promis de vivre enfin sérieusement ».

Il est sincère, mais ces promesses sont la « monnaie de singe » dont il voudrait payer sa liberté.

« L'hiver avance, écrit-il à Bell, et le courage me manque ».

Il reprend contact aujourd'hui avec tous ses parents si longtemps négligés ; il voudrait retourner à Agen, hélas plus éloigné que le Valois maternel : on l'y invite, il n'y va pas. Et à Evariste dont toujours il souhaite la visite il ouvre le vrai de son cœur :

« Un peu d'amitié et de bonheur me ferait tant de bien ».

Il fut un temps, — celui de sa jeunesse — où il écrivait : « L'homme a trois protecteurs, la patience, le génie, le travail ». Ensuite, découragé, au retour d'Orient, il disait à son père : « L'homme de lettres n'a que lui pour lui ».

Aujourd'hui il touche au fond du désespoir. Au verso d'une lettre, il griffonne, pour lui seul, cette note révélatrice :

« Position vient de la bourg (oisie). Il faut avoir des rentes et du temps. *Celui qui travaille n'a que Dieu pour...* »

XVIII

Durant cet hiver monotone, Gérard réunit diverses nouvelles sous le titre de « Filles du feu ». Ce n'est pas un livre ambitieux ; il s'agit pour lui de se faire de l'argent en « grattant ses fonds de tiroir ».

Les « Filles du feu » sont, comme les sirènes et les salamandres, des esprits intermédiaires entre les hommes et les dieux. Gérard a bien pesé son titre, après avoir hésité entre celui-là, auquel il reproche tantôt un « air de féerie », tantôt un « air dangereux », et un autre, plus littéraire qui eût rappelé les Peines d'amour perdues de Shakespeare : « Les amours perdues ou les amours passées ». (Ainsi Sylvie aussi avait failli s'intituler l' « Amour qui passe »). Elles s'appelleront Corilla (écrite pour Jenny Colon), Octavie, Emilie, Angélique, Isis, puis Aurélia, Sylvie, la Pandora. Et voici, pris sur le vif, non plus un badaud ni un malade déprimé, mais l'homme de lettres actif, opiniâtre, agité parfois, à qui l'hospitalité de Blanche permet ces derniers efforts. Ce malade discute haut et ferme la rédaction de ses contrats, il corrige minutieusement les épreuves, harcèle éditeurs, typos, potes et correcteurs, plus énergique cent fois que les « bien portants », plus averti qu'un spécialiste, plus ponctuel que les hommes d'affaires ses correspondants, relançant et stimulant les uns et les autres, désolé de la négligence que souvent l'on oppose à son zèle.

Blanche était sans cesse à ses côtés dans cet héroïque combat : le stimulant, l'encourageant, et puisque la nuit, il rêve, lui suggérant de ne pas perdre le fruit de ses nuits : ses rêves il veut que son malade les transcrive. Maxime du Camp, son pensionnaire momentané, les publiera. Ainsi va naître « Aurélia ».

Gérard était loin de croire qu'il ferait là œuvre importante, œuvre d'avant-garde ; il n'avait pas tant de prétention. Simplement il obéissait à son médecin : « Je continuerai, promet-il, cette série de rêves ou bien je me mettrai à faire une pièce, ce qui serait plus gai et rapporterait davantage ».

Et il lui arrive de douter de ce travail ; mis aux arrêts, il écrit : « Je travaille beaucoup mais cela tourne un peu dans le même cercle ». Ou bien : « Ce que j'écris tourne trop dans un cercle restreint ». « Je me nourris de ma propre substance et ne me renouvelle pas ». « Je n'écris que des choses personnelles et tourne dans un cercle étroit ».

Qu'on lui laisse, demande-t-il, rendre au moins visite à son père : « On vieillit vite à son âge et au mien le temps passe aussi. Ne croyez pas que je mette le plaisir de voir mes amis au-dessus d'un devoir si sacré ». Blanche cède parfois mais, prudent, avertit le vieillard de la visite présumée. Gérard cependant, fraternel, sociable, toujours courant pour aider l'un ou l'autre, toujours volant au secours d'autrui, appele l'amitié à son secours : à Bell : « Vous avez été un de mes médecins et je me souviens avec reconnaissance de ces tournées lointaines que nous faisions l'an dernier et où vous me gouverniez avec tant de patience et d'amitié solides. Et maintenant ne m'abandonnez pas, si longue que soit en ce temps-ci la route de Poissy... »

Bell n'ayant pas répondu, il s'attriste : « Mon ami, pourquoi n'êtes-vous pas revenu ? J'aurais été bien plus vite rendu à la santé ».

Son mal ? C'est de n'être pas en paix avec lui-même. Ce que nous appelons : le conflit.

Ce Gérard-là, c'est El Desdichado : il fit

paraître la plus célèbre de ses Chimères dans le « Mousquetaire » du 10 décembre 1853.

Je suis le Ténébreux, — le Veuf, — l'Inconsolé,
Le Prince d'Aquitaine à la Tour abolie,
Ma seule Etoile *est morte, — et mon luth constellé,*
Porte le Soleil *noir de la* Mélancolie.

Dans la nuit du Tombeau, Toi qui m'as consolé,
Rends-moi le Pausilippe et la mer d'Italie,
La fleur *qui plaisait tant à mon cœur désolé*
Et la treille où le Pampre à la Rose s'allie.

Suis-je Amour ou Phœbus ? ...Lusignan ou Biron ?
Mon front est rouge encor du baiser de la Reine ;
J'ai rêvé dans la Grotte où nage la Sirène...

Et j'ai deux fois vainqueur traversé l'Achéron,
Modulant tour-à-tour sur la lyre d'Orphée
Les soupirs de la Sainte et les cris de la Fée.

Il dédie à Dumas, avec les « Filles du feu », les Chimères et les Chants et légendes du Valois.

« Il y a quelques années, dit-il, on m'avait cru mort et Janin avait écrit ma biographie. Il y a quelques jours on m'a cru fou et vous avez consacré quelques-unes de vos lignes les plus charmantes à l'épitaphe de mon esprit ».

La dédicace entière proteste en substance contre les jugements hâtifs : celui de Dumas, qui avait prétendu qu'El Desdichado avait été écrit au pied levé, dans son bureau, sur un coin de table.

« Puisque vous avez eu l'imprudence de citer un de mes sonnets, composés dans cet état de rêverie *supernaturaliste*, comme diraient les Allemands, il faut que vous les entendiez tous. Ils ne sont guère plus obscurs que la métaphysique d'Hégel ou les *Mémorables* de Swedenborg, et perdraient de leur charme à être expliqués, si la chose était possible ; concédez-moi du moins le mérite de l'expression ; — la dernière folie qui me restera probablement, ce sera de me croire poète : c'est à la critique de m'en guérir ».

Tandis qu'il défendait ainsi sa dignité trop souvent offensée, Francis Wey, après avoir essuyé maints refus, obtint du gouvernement 600 francs « dont Gérard ne pouvait se passer », pour un voyage en Egypte. Stadler en obtenait 250 pour la traduction de Kotzebue et pour Jodelet, d'après Scarron, à titre d'encouragement ; Houssaye sur cette même pièce de Kotzebue lui donna une avance de 1500 F et d'autre part, ses tractations avec les banquiers Mirès et Millaud, commanditaires de presse, aboutirent ; il reçut d'eux 500 F à valoir sur de la copie, qu'il avait promis de leur envoyer... de Berlin. En tout 2850 F.

Gérard alors se « ravive » c'est-à-dire qu'il

perd la tête ; il rembourse de menues dettes, s'enivre, est remis aux arrêts, et quand il fait le compte des gaspillages, non, impossible d'aller en Orient avec ce qui reste, mieux vaut faire un voyage plus proche, moins coûteux, et où il pourra gagner en cours de route : c'est-à-dire travailler pour les banquiers. Il rembourse donc le Ministère, disant renoncer au Caire, — Lizst l'invite à Weimar où vont se donner des fêtes en l'honneur de Wagner, il accepte l'invitation.

Il a été « renfloué » en avril. En mai, déjà, il « compte » ; ses remboursements, il les regrette. Il va partir misérable, misérablement vêtu, sans manteau.

Blanche doit pousser hors de chez lui ce malade irrésolu, éperdu, qui risque de manquer le départ et s'en va sans se retourner, sans un adieu. Pas d'adieu non plus à Wey, qui est à la campagne — et s'est pour lui entremis en vain. Et quand il va une dernière fois chez Théophile, il évite de passer certaines rues : on « pave ».

Mais le cœur serré, il embrasse son père qui ne tente plus de le retenir : visite brève, désolée, silencieuse. Gérard proteste encore que s'il n'a pas embrassé la carrière que celui-ci lui avait choisie, il ne « peut reculer dans la sienne ». Mais il ne reçoit pas de réponse. A ses lettres le vieillard ne répondra plus ; il boude.

C'est Bell encore — l'Ange gardien, — qui le 29 mai, accompagne son ami à la gare : ils sont en voiture découverte et partent par le boulevard des Italiens. Sur le tablier, une malle que dès Strasbourg, il faudra laisser en gage.

XIX

C'est un homme totalement désemparé et désaxé qui débarqua le 30 mai dans la petite ville de Strasbourg et s'installe dans un des meilleurs hôtels, celui de la « Fleur », où il « retrouve le soleil de ses plus beaux jours ». Sa renommée l'y a précédé, et il y est vite remarqué, « dépenaillé », comme dit du Camp, avec ses chaussures qui prennent l'eau, son manteau noir élimé. On voit à quelques vitrines son portrait, et c'est celui d'un homme ravagé, au visage bouffi, boursouflé, dont il se détourne, qu'il renie. Il est « l'autre », dit-il, il se voudrait encore le visage sensible gravé par Jehan Dusseigneur, le jeune homme qu'il ne veut pas cesser d'être : à 46 ans, il en paraît 60 !

Mirecourt vient de publier sa biographie en insistant sur sa misère : il refuse aussi cette biographie, « il a encore le sac », — puis, à deux reprises, il en conviendra : elle contient du vrai.

Il avait promis à son médecin d'être sage, d'accepter peu d'invitations, mais le moyen de se soustraire à une invitation gentille ? Il a trop longtemps souffert en captivité chez Blanche ; il a trop « chanté dans les Ténèbres », aussi, le premier soir, quand des étudiants l'invitent fraternellement à un de leurs bals, il est étourdi de plaisir et s'il refuse de danser il offre des fleurs aux jeunes filles ; il fait le « crâne » toute la nuit, boit « la bierre » interdite, rentre à l'hôtel à l'aube en chantant, réveille clients et personnel. Lui en veut-on ? Non, il est sympathique, — si l'on sourit des buveurs, on les trouve plutôt drôles, — et d'ailleurs les garçons sont pleins d'égards pour lui. Ils ne lui font que des observations détournées. Quant aux clients, il les interroge, « a-t-il dérangé quelqu'un ? peut-être chassé certains d'entre eux ? Il faut le lui dire, car il pourrait être « somnambule ».

Et nous prenons ici Gérard en flagrant délit de mystification : son mal, il l'aura qualifié de tous les noms, pour éviter de le nommer ; le somnambulisme est sa dernière trouvaille.

C'est dans cet état d'ivresse exaltée qu'il revoit Baden et le Rhin ; et lui qui se croyait « vidé », il « retrouve sa voix et ses moyens » ; comme en Belgique, naguère, il était « redevenu un homme ». Il écrit un sonnet, il fait le

gascon, avait-il perdu le feu sacré ? Mais non.
« La gaieté me revient » écrit-il à son père. Et à Bell il adresse une lettre débridée : il se sent fort comme un Turc, on l'a blagué dans un journal mais il prendra des leçons de rapière pour se venger. Il se rit de ses créanciers ; ses amis l'abandonnaient ? Ils vont lui revenir en foule, il les connaît — et quelle méfiance absurde, les avait-il seulement perdus ? Mirecourt écrit des sottises sur son compte ? Encore des leçons de rapière, encore un duel en perspective. Les femmes se détournent de lui. C'est la faute de la maladie ; elle l'a rendu si laid, la mélancolie si négligent... mais il se débarbouillera avec de l'ambroisie, si les dieux lui en accordent un demi-verre seulement... « Cette lettre d'homme bafoué fait comprendre comment Gérard, naturellement timide et enfantin, (comm dit du Camp), pouvait, sous l'influence du vin, paraître « méchant et agressif ».

Encore quelques heures d'euphorie, encore quelques fausses revanches et on le montre du doigt, bizarre, confus, évitant de saluer, de peur d'être identifié. Il joue alors les distraits, les myopes ; en vain : tous ici, jusqu'aux soldats, aux enfants, connaissent son signalement. Va-t-on dénoncer à son père ses excentricités ?

Alors il prend les devants, l'avertit maladroitement : il n'y a pas qu'un Gérard à Strasbourg ; quoi qu'on puisse dire ou écrire à son sujet, il va dix fois mieux.

Réveillé de l'ivresse, inquiet du chagrin de celui qu'il n'a que trop peiné, le cerveau fatigué par cette folie encore, il retrouve ses meilleurs accents pour rassurer le vieil homme :

« Il y a ici bien des voix qui me rappellent mon enfance, quand tu voyais des Polonais et des Allemands que tu avais connus et qui venaient en France plus tard. Des voix de femmes d'un timbre délicieux, des hommes à l'allure guerrière, tout cela me rappelle les impressions que tu m'as transmises de la vie de soldat »... Mais cette lettre si tendre contient un aveu brutal : le mal est parfois revenu. On avait raison de lui prescrire des ménagements. Sa faiblesse de résolution est grande, elle était grande à la maison de santé. Il a bu beaucoup de bière locale, un peu de vin du Rhin,.. mais il se corrigera.... Surexcité, effervescent, l'habit, la pensée en désordre, incapable d'ordonner son voyage, incertain s'il le poursuivra, il vogue, ivre,sur des souvenirs démontés ; il a juste assez de bon sens pour s'abstenir d'écrire à son médecin, qui lirait sa défaite entre les lignes. Ensuite il avoue encore : « J'avais passé encore par bien des phases de rêveries. N'aviez-vous pas prévu encore des imprudences, des erreurs de régime ? ». Il écrit cela de Stutgart et se dirige lentement, avec hésitation, vers Weimar. Les fonds lui manquent depuis Strasbourg déjà. Aussi se conduit-il plus sagement, il « arrive à n'étonner plus personne », il se sent plein de force et de bonne volonté, il va au théâtre, prend des notes en vue des articles promis aux banquiers, mais n'envoie pas d'articles et n'en enverra pas ; surtout, il écrit «Aurélia » et fait dire à du Camp que le « livre avance beaucoup ».

Ce voyage désastreux fouette heureusement son inspiration, il goûte des moments de joie douce dans les musées et les églises, il songe à cet ange de la Mélancolie de Dürer qu'il confondra avec son rêve.

Il dit d'un ton léger qu'il s'aperçoit qu'il devient très catholique en traversant ces beaux pays où on l'est si facilement et si poétiquement ; il entend trois messes en un seul jour, en musique et dans des églises de rocaille, par un temps splendide, avec des chœurs et des fioritures d'opéra italien, aussi croit-il n'y avoir pas grand mérite, mais il s'en imprègne ; les impressions d'enfance font contrepoids à ses cauchemars ; ils se confondent avec des lectures et avec le « Musée imaginaire ». Le tout fera « Aurélia ».

Il a dû renoncer aux beaux hôtels et aux égards : il loge dans de méchantes auberges, partage la chambre du premier venu. Avait-il besoin d'un manteau ? Il y renonce : il s'était seulement figuré en avoir besoin. Il assure enfin le docteur Blanche et son père qu'il voyage avec économie (et pour cause), qu'il régularise ses dépenses, qu'il sait compter enfin : la vérité c'est qu'il ne reste dans son gousset que cinq louis. Et pour conclure il demande à Blanche de lui envoyer 200 F.

Tout cela, qu'importe ? L'essentiel est qu'il « sent éclore le petit monde de pensées qui éclôt au milieu du grand », il crée enfin, lui qui a tant traduit, tant copié « à la manière de », il « dirige son rêve éternel au lieu de le subir », il touche au but à l'heure de la plus intolérable détresse.

Les lettres du dernier voyage en Allemagne pourraient se grouper autour de cette phrase : « Les maux que j'ai fait souffrir à mon père me retombent continuellement sur le cœur. Si j'étais destiné à donner l'exemple de la plus douloureuse expiation qui soit, je m'y soumettrais volontiers à cette seule pensée ».

Et autour de celle-ci : « S'il y a toujours un moment pour se repentir, eh bien je me repens mais je marche encore dans les ténèbres ».

XX

Après bien des hésitations, Gérard se décide enfin à remonter vers Leipzig, d'où il pourra à son gré choisir entre Berlin (où il fera le reportage promis aux banquiers), ou Paris, qui « se recompose pour lui dans le lointain, avec des regrets et des espérances ».

Il demande à l'éditeur Sartorius de lui envoyer le manuscrit allemand de « Sylvie » dont il a ici le placement, et un peu d'argent ; il assure Blanche que, sauf une petite rechute de régime à Strasbourg, il a manifesté sa tempérance dans tous ces pays à bière.

« Les grands projets sont revenus, nous ne sommes pas encore morts, nos affaires s'arrangeront », dit-il à Sartorius ; et à son père : «Tu m'as vu malade mais non pas mort. Ne crois pas, quand je suis loin, que je ne sois pas près de toi cependant. J'y serais encore, fût-ce dans le tombeau. Si je mourais avant toi, j'aurais au dernier moment la pensée que peut-être tu ne m'as jamais bien connu, mais cela viendra. Pardon de ces idées noires... »

Un mois après avoir quitté Paris, il rappelle à Bell sa folle lettre de Strasbourg et conclut : « Je me suis découvert des dispositions nouvelles et vous savez que l'inquiétude sur mes facultés créatrices était mon plus grand sujet d'abattement ».

Leipzig, Weimar, Cassel... Un moment raffermi d'avoir pris la décision de pousser jusque chez Liszt, de trouver un traducteur pour « Aurélia », de rencontrer des gens influents dans le domaine des droits de traduction, il est troublé ensuite par les souvenirs de son enfance : Leipzig n'est guère éloigné de ce cimetière de Gross Glogau où repose sa mère ; un vétéran lui parle de la bataille de Leipzig à l'endroit où douze mille Français trouvèrent la mort et furent jetés au ruisseau ; lui-même raconte la saga paternelle, puis il rapporte à son père ces conversations émues.

Chez Liszt aussi, le souvenir aura le pas sur les réceptions : il reverra une amie de celle qui jadis hébergea le docteur Labrunie blessé, avant son retour en France. Gérard n'a pas vécu d'autre vie que celle-là.

Mais, Sartorius lui ayant envoyé des thalers, voici une nouvelle crise qui commence : il s'exalte, se réjouit ; il va pouvoir s'acheter de quoi paraître dans les salons, un chapeau, des gants ; et il a bien envie d'un mackintosh, envie seulement, car c'est hors de ses moyens. Il a toujours sur le cœur la biographie de Mirecourt et l'appréhension d'être, à cause d'elle, « blagué », mais il noie tout dans une bouteille de vin de Hongrie en la vieille cave de l'Auerbach où rôdent les fantômes de Faust et de Méphisto. Ainsi arriva-t-il en retard à Weimar où les fêtes sont décommandées, dérangées par le temps, et où il ne put presque que faire à Liszt ses adieux, celui-ci devant partir pour Rotterdam ; Liszt proposa à son ami de rester seul et mit des chambres à sa disposition : mais seul dans une petite ville pluvieuse ? A quoi bon ? Durant son court séjour, Gérard se montra bizarre, agité et incohérent. Comme il allait chercher à la poste la réponse de Blanche à sa demande d'argent, Liszt l'accompagna, et Gérard dut ouvrir la lettre du médecin en sa présence ; il pâlit, se troubla : Blanche lui reprochait certaines lettres à son père, qui avaient alarmé le vieillard (les deux hommes toujours se communiquaient les nouvelles du malade).

A partir de là (juillet, à Cassel), les lettres

à Blanche et au docteur Labrunie vont prendre un accent pathétique. Gérard se rend compte alors de sa conduite insensée, de ses obligations envers son médecin, de l'oubli dont il a payé tant de bontés.

« Votre dernière lettre m'a été un reproche bien sensible, lui écrit-il ; j'ai été frappé de ce que vous m'avez parlé sèchement relativement à ma lettre à mon père. Cela surtout m'a fait songer à m'arrêter ; car je n'ai point reçu de ses nouvelles et je souffre beaucoup depuis plusieurs jours en pensant à lui. Blanche, quoi que vous pensiez de moi, car il y a bien des choses dures dans vos lettres, envoyez bien vite chez lui. Ecrivez-moi Poste Restante à Francfort. Je pleure en vous écrivant ceci et, si ce n'est un signe de regret, comment saurais-je si j'ai eu tort ou raison, si je suis bon ou méchant ? Ecrivez-moi, mon cœur se détend en pensant à vous, en songeant à lui. Ecrivez-moi, mon cœur se détend en pensant à vous, en songeant à lui. Ecrivez-moi ce qu'il faut faire car je souffre bien et c'est du cœur. S'il y a toujours un moment pour se repentir, eh bien je me repens, mais je marche encore dans les ténèbres et c'est votre réponse et conseils que j'attends. Je vous envoie cette lettre avec confiance, c'est peut-être la dixième que j'essaie de vous écrire. Il est donc nécessaire que je vous l'envoie telle qu'elle est. Je vous prie de faire mes amitiés autour de vous et de considérer cette lettre telle qu'elle est, comme l'expression de ce que je suis et de ce que je souffre. Votre ami : Gérard ». En P.S. : « Envoyez donc chez mon père et répondez-moi tout de suite ; je me confie entièrement à vous ».

La réponse vint par retour. Quoique occupé des préparatifs de son mariage proche, auquel il conviait Gérard, il irait voir « ce pauvre vieillard auquel il s'intéressait ». Désormais Gérard n'écrira plus au docteur Labrunie que par l'intermédiaire du médecin.

On voudrait pouvoir lire, en face des lettres de Gérard, les réponses des deux médecins : elles éclaireraient son drame. D'autre part il est flagrant que Gérard à aucun moment, même quand il promet de s' « amender », ne s'est cru malade, en danger. Il plaint plus que lui son père, le « pauvre vieillard », les malades de Blanche, auprès desquels il se considère lui, toujours comme un « convalescent ». Au pire il croit qu'il « fait mal, qu'il est coupable » ; il ignore que sa volonté est réellement malade, son mal lui est tout-à-fait inconnu.

Nous voici à la veille de son retour, et pour comprendre sa tragédie il faut lire in-extenso toutes les dernières lettres du funeste voyage :

Francfort, le 15 juillet 1854.

Mon cher Papa,

« Je reviens près de toi après ma longue tournée, ayant j'espère recueilli de quoi travailler longtemps, mais poursuivi souvent par la pensée que tu pouvais être inquiet de moi. Ma santé n'a pas toujours été bonne et les temps orageux surtout ont agi sur mes nerfs. Cependant tout s'est bien passé et j'ai été fort bien accueilli des personnes que je connaissais ou auxquelles j'étais recommandé. Je ne sais pourquoi, à Cassel, il m'a pris une inquiétude sur ta santé. J'ai écrit à Blanche dont je viens de recevoir une lettre qui m'a en partie rassuré. Il se marie et m'invite à revenir vers le 20. Je vais tâcher de le faire. Il t'ira sans doute voir dans l'intervalle. Je n'ai pas toujours assez compris toutes les obligations que je lui ai, mais il a la bonté de me mettre à mon aise et j'espère bien abuser moins, à l'avenir, de ses bonnes dispositions. Ce voyage me sera peut-être bon, surtout en ce qu'il m'a fait beaucoup réfléchir sur les autres et sur moi-même, et les jours de solitude que j'ai rencontrés ont été remplis souvent de bonnes pensées et de bonnes résolutions. La lettre que Blanche m'écrit est pleine de cœur et de sympathie. S'il n'est pas trop mécontent de moi, j'arriverai à me rassurer tout-à-fait et à réformer plus complètement les défauts que je me reproche encore. Ce n'est pas l'avenir qui me tourmente, mais le sentiment triste de ce qui se rapporte au passé. Je voudrais que tu fusses bien tranquille sur moi, mais je me reproche amèrement toujours les motifs d'inquiétude que je t'ai tant de fois donnés. Enfin je vois bien qu'il faut rompre avec les idées de la jeunesse et tenter de se faire un sort approprié à son âge et à ses forces... Emporté au premier abord par le sentiment d'une liberté que j'avais désirée longtemps, je me sens calmé depuis quelques jours et ma vie devient régulière... »

Dans toutes ses lettres à son père, Gérard parle beaucoup de lui-même, non tant par égocentrisme que par besoin de se justifier : justification difficile entre êtres qui ne parlent pas le même langage. Gérard est obligé de se simplifier pour cet homme simple, de se remesurer à son échelle de valeurs. Sans doute ce père toujours inquiet l'incite-t-il en outre à ces perpétuelles explications, par une sollicitude qui s'adresse ordinairement à un autre âge ; mais enfin Gérard s'avise, au cours de ce dernier voyage, qu'il aurait autre chose à faire qu'à s'appesantir sur lui-même, et que son devoir eût été de songer, lui, à aider ce père qui vit dans la gêne.

Même ville, même jour.

Mon cher Emile,

Le mal est plus grand que vous ne pensez ; cependant je n'ai rien fait qu'on puisse me reprocher et n'ai fait de tort qu'à moi-même. Aussi n'a-t-on eu pour moi que de bons procédés et personne n'a paru s'étonner de certaines excentricités que je me reproche et qu'on n'a peut-être pas aperçues ; le pire est que j'ai dépensé beaucoup d'argent sans nécessité, bien qu'il me reste largement de quoi revenir, mais j'ai touché la somme que vous m'aviez envoyée à Leipsig. Je ne voulais pas abuser de l'hospitalité qu'on m'offrait et, travaillé de cette pensée, je suis arrivé fort en retard. Enfin nous causerons de tout cela à Paris. Au reste je n'ai qu'à me louer de tout le monde dans ce pays. Peut-être ce que j'ai éprouvé de bizarre n'existe-t-il que pour moi, dont le cerveau est abondamment nourri de visions et qui ai de la peine à séparer la vie réelle de celle du rêve. La lettre que vous avez reçue de Cassel a dû vous révéler cette situation. Depuis ce temps je me sens mieux et ma consolation est venue du bon sentiment qu'avait éveillé en moi un passage de votre lettre précédente. Serait-il possible qu'après tant de folies je trouvasse la paix et l'avenir dont vous me parliez ? Je ne puis vous dire ce que votre lettre, adressée ici, m'a fait tour-à-tour de bien et de mal, selon que j'en interprète les termes. Ce que j'y vois surtout, c'est votre extrême bonté et votre sympathie pour un pauvre malade qui a tout fait pour échapper à vos conseils ; maintenant je sens une chose que j'ai bien mal comprise précédemment, c'est à quel point mon retour peut ...ah ! je ne veux rien écrire là-dessus. Mes projets de travail ont été et sont sérieux, vous n'en doutez pas, je n'ai pas cessé dans tout mon voyage de recueillir de quoi le faire, à Leipsig seulement la tête à tourné. Est-il possible, du reste, que dans un voyage si rapide j'eusse pu écrire beaucoup de lignes comme je m'en étais flatté. Il me faut maintenant pour écrire, non seulement sur ce que j'ai vu, mais sur ce que j'ai pensé, non seulement le calme comme situation, mais le calme de ma pensée intime ; la paix en moi-même, j'ai encore l'espoir de la retrouver. Si j'ai bien mal compris la vie, je me fie cependant à cette pensée que je n'ai pas voulu mal faire et que mes fautes n'ont été que de l'entraînement. Je n'ai pas non plus suivi tous les mauvais exemples et bien des gens pensent que je leur dois, qui me doivent peut-être davantage. Mon principal tourment dans tous mes instants de solitude a toujours été la pensée de mon père. Ne croyez pas que je vous le répète pour vous attendrir en ma faveur, mais les maux que je lui ai fait souffrir me retombent continuellement sur le cœur. Si j'étais destiné à donner l'exemple de la plus douloureuse expiation qu'on peut imaginer, je m'y soumettrais volontiers, à cette seule pensée. Ne lui dites pas cela, et je pense du reste que vous lui avez communiqué de mes nouvelles avec tous les ménagements nécessaires. Est-il possible d'en douter ? Je viens de lui écrire en affectant un calme que je n'ai pas ; mais enfin j'y suis parvenu. Je suis donc mieux que depuis Cassel ? Non, je me tourmente toujours et c'est à Paris maintenant que j'espère être mieux : laissez-moi cependant revenir à petites journées. Je tâcherai d'être à Passy pour le 20 ; mais, je vous en prie, ne comptez pas sur moi pour une réunion de fête. Je souffre trop, moralement je veux dire ».

Quatre jours plus tard (son voyage n'a pas duré deux mois), il est à Bar-le-Duc, d'où il écrit deux lettres encore :

« Mon cher Papa,

Je reviens après avoir fait une longue tournée... J'espère que tu ne te seras pas effrayé de cette exaltation qui s'est modérée de plus en plus ; ni d'une certaine tristesse que j'ai eue dans les derniers temps. Une maladie comme celle que j'ai subie si longtemps laisse toujours quelques traces et les premiers jours de liberté sont une épreuve. Tout bien réfléchi je crois enfin l'avoir surmontée. Les personnes que j'ai vues là-bas m'ont très bien accueilli et l'isolement dans la plupart des cas m'a été, je crois, favorable, en me faisant réfléchir beaucoup. Je rapporte des matériaux pour travailler longtemps. A mesure que je me rapproche de Paris, mes inquiétudes diminuent, et les principales, tu l'as vu, se rapportaient à toi. Je ne puis plus à mon âge supporter les longs voyages, je le sens bien. Quoique je t'aie quitté bien portant, j'ai toujours eu la pensée que mon éloignement t'était peut-être désagréable, et, ne recevant aucune nouvelle de toi, je me suis rapproché peu à peu... Ma pauvre tête vient d'avoir à supporter les maux de l'âge critique. Espérons qu'ils ne se renouvelleront pas et que mes bonnes intentions du moins seront récompensées. J'ai fait bien des fois des projets de réforme, mais jamais plus sérieusement qu'aujourd'hui. Il me faudra bien peu d'efforts peut-être pour tirer parti de la réputation que j'ai acquise et de l'estime que de plus en plus je m'applique à mériter. Si ma jeunesse a duré longtemps, l'âge mûr n'en sera peut-être que plus solide et tu seras témoin, j'espère, de mes efforts et de mon succès. Le mieux est de ne pas perdre confiance, car l'inquiétude ne mène à rien. Je t'expliquerai les circonstances qui ont parfois agi sur moi et ont rendu peut-être ma correspondance bizarre. Aujourd'hui je me raffermis en songeant que je vais sans doute te revoir demain et te retrouver en bonne santé... »

Voici l'autre lettre :

« Mon cher Emile,

Une bonne pensée m'a raffermi. Elle provient toujours de vous, comme tout ce qui m'arrive de bon. En relisant vos dernières lettres, j'y ai trouvé bien des motifs d'espérance et le mal n'est pas si grand que je me le fais. Que cette résolution et cette douce pensée vous arrivent dans votre jour de joie suprême. Je n'ai songé presque qu'à vous aujourd'hui, et croyez bien que je m'unis du plus profond de mon cœur à votre bonheur. Ma prière ne sera pas moins vive pour être éloignée. J'ai eu tort sans doute de n'avoir pas eu plus confiance, mais l'inquiétude m'a fait passer des jours et des nuits terribles ; je me rassure en me rapprochant de vous et de nos amis ; à quoi serviraient le doute et le désespoir ? C'est autre chose qu'on attend de moi. Si Dieu me continue cette consolation, j'espère encore me montrer digne de vos soins, et, si douteux qu'ait été le premier emploi de ma liberté, je ne crois pas qu'il ait amené rien de trop fâcheux. J'ai dépensé beaucoup sans doute mais je pense avoir beaucoup gagné sous d'autres rapports. Enfin tout cela s'expliquera, j'espère, pour le mieux. Il fallait que cela fût ainsi ; pardonnez-moi ce fatalisme musulman, mais croyez-moi chrétien de cœur, en ce jour surtout où l'Eglise est en fête pour vous. C'est pourtant une seule phrase de votre lettre reçue à Weimar qui m'a ramené à moi-même, à travers mille douleurs. Elle est restée présente à mon esprit, et maintenant la confiance et la raison surnagent. Je vais m'endormir confiant comme vous me le conseilliez dernièrement de l'être. J'ai écrit à Antony (Deschamps) des choses assez tristes ; qu'il les oublie. Tout le mal vient de mes réflexions, tout le bien peut en sortir aussi... A après-demain. Je viens d'écrire à mon père, et cela m'a bien soulagé.

Vous m'approuverez peut-être de n'avoir voulu reparaître qu'entièrement calmé et je sens plus encore aujourd'hui que cela était nécessaire.

Votre affectionné

Gérard ».

XXI

L'une des premières visites de Gérard à son retour fut pour la Société des Gens de Lettres dont l'agent, l'avocat Godefroy, lui promit de protéger au plus tôt ses droits sur la traduction en anglais d' « Aurélia ». et d'envisager d'autre part son engagement par la Société à titre d'agent littéraire : il se chargerait à ce titre de vendre à l'étranger, de traduire et de faire traduire les manuscrits : ainsi aurait-il enfin la sécurité de l'emploi.

Deux jours après cette entrevue, alors que Godefroy attendait les épreuves d' « Aurélia » et que déjà il avait fait diligence, Gérard rentra chez Blanche pour la dernière fois. Voici ce qu'il dit de cette ultime rechute : « Monsieur Blanche, mon médecin, a jugé que la fatigue du voyage, jointe aux démarches multipliées que j'avais faites à mon retour, m'avaient fatigué, ce qui était en effet, et m'a conseillé quelques jours de repos ».

La réintégration eut lieu le 8 août. Blanche redouble de sévérité : il interdit cette fois visites et courrier, impose un régime austère. De son côté Gérard ne supporte plus le joug, il oublie ses résolutions et sa tendresse pour Blanche se transforme en suspicion maladive. Après six semaines il n'en peut plus et en appelle tant à son cousin Evariste qu'à Godefroy. Il presse ce dernier de lui dépêcher un émissaire.

Godefroy lui cède et Gérard se plaint si fort, implore si bien, accuse si bien Blanche, que la Société des Gens de Lettres prend haut et clair son parti. Pour Théophile, la cause est entendue et simple : Si l'on devait enfermer tous les noctambules !...

Le 9 octobre, Blanche abasourdi reçut la sommation suivante :

« Nous sousignés, amis de M. Gérard de Nerval, homme de lettres, nous avons l'honneur de prier M. le Dr Blanche de vouloir bien autoriser la sortie de Monsieur Gérard de Nerval ainsi que l'enlèvement de tout ce qui lui appartient et ce en conformité des règlements régissant la maison dont il est le directeur et le propriétaire ».

A cette lettre offensante et injuste, Janin ajouta un post-scriptum qui la tempérait : « Cher Monsieur. Voici Gérard qui veut que je lui signe ce papier et comme je n'ai rien à lui refuser, je signe, m'en rapportant tout à fait à ce qui est plus facile à faire. Je vous dis mille bonjours ».

Un seul homme avait choisi ce qui était « difficile ». Un seul avait pris la responsabilité de Gérard, c'était Blanche, et le voici accusé de séquestration et de recel par ses « amis ». Pourtant il ne cède pas à la menace déguisée de Godefroy, il fait jusqu'au bout son devoir de médecin. Et tandis que le malheureux malade se dit « persécuté » (« J'ai encore souffert moralement plus de deux mois dans la maison du docteur Blanche où l'on est parvenu à me réintéger »), il tente une dernière chance :

« Votre cousin, écrit-il à Evariste Labrunie, me tourmente beaucoup pour que je lui rende la liberté. *Sachant qu'il n'a aucun asile à Paris,* je ne puis lui permettre de quitter ma maison avant d'être certain qu'il a au moins une chambre où il dépose ses meubles et où il puisse s'installer. C'est à vous d'abord que je m'adresse pour savoir si vous entendez vous occuper de ces soins, ou si, à votre défaut, quelque membre de la famille s'en chargera. Je suis d'ailleurs décidé à remettre Monsieur Gérard de Nerval à celui de ses parents ou amis qui acceptera par écrit la responsabilité du malade, du moment qu'il aura quitté mon établissement. Si ni parent ni ami ne veulent se charger de lui, j'avertirai l'autorité supérieure, qui avisera. Vous ne devez pas ignorer qu'à l'époque où Monsieur Gérard de Nerval est tombé malade, M. Labrunie, son père, m'a signifié qu'il ne pouvait s'occuper de son fils ».

Nul de ceux qui voulaient la sortie de Gérard avaient pris parti pour l'égaré ne s'offrit à le recueillir : quant à Evariste Labrunie et sa mère, ils choisirent une solution prudente, sorte de moyen-terme qui ne fesait que reculer un peu la funeste échéance : ils acceptèrent d'héberger leur parent *jusqu'à ce qu'il ait trouvé un logement*. Gérard est désormais un mort en sursis.

L'imprévoyant alors délire de joie : plus que trois jours « sous le joug ». « Aurélia » est à l'impression, il s'en occupe de toute son âme ; puis il fait une sortie sous la benoite surveillance de Bertrand, et comme celui-ci lui conseille de quitter Blanche sur une impression favorable, il écrit à son médecin une « lettre de réconciliation » bouffonne.

Il délire le jour où il sort : « Je suis « fol », écrit-il à Houssaye, qui, venu lui rendre visite, a trouvé porte de bois. Et il signe avec un rien de forfanterie : « Celui qui fut Gérard et l'est encore ».

Pour Janin, à qui il doit cette délivrance ·

« Merci, je suis sorti avec les honneurs de la guerre, mais non avec armes et bagages, comme on dirait à Ste-Pélagie. On m'a gardé provisoirement mes meubles et mes livres ; mais il paraît qu'il le *fallait...* » (italiques). (Et il le fallait, pour cause : où les eût-il entreposés ?)

Une semaine plus tard il est déseperé : « Tout est accompli, écrit-il à Antony Deschamps, je n'ai plus à accuser que moi-même et mon impatience qui m'a fait exclure du *paradis* et j'enfante désormais dans la douleur ».

Cette lettre désolée contient bien des préventions encore mais aussi le désir de faire la paix avec Blanche (« Je ne puis séduire Emile... Employez ces dames pour faire la paix...»).

Tout est accompli : c'est-à-dire que non seulement il ne peut plus gagner sa vie avec sa plume, en un temps où les écrivains bien portants y ont déjà tant de mal, mais encore, il est « sans asile à Paris » : sa tante l'a hébergé cinq jours et c'est fini.

Ses ressources ? Une lettre au docteur Labrunie, chez qui il se décommande un soir, nous l'apprend : il a « trouvé » de l'argent (au théâtre sans doute, il n'en pouvait plus espérer d'autre source) : 500 F d'une part et 350 d'autre part. Le revoici munificent : il donne un acompte à Blanche, rembourse 700 F sur 1000 aux banquiers qui jamais ne reçurent les articles promis. Ensuite il offre à forfait l'ensemble de son œuvre au bibliophile Jacob. Enfin il discute avec la veuve d'Alexandre Labrunie le rachat du clos de Nerva, mais tandis qu'elle cherche à obtenir le plus possible, lui-même n'aura jamais les quinze cents francs auxquels il évalue le terrain.

« Rien n'a pu guérir mon âme, qui souffre toujours du mal du pays », a-t-il un jour écrit à Houssaye.

Ce pays il y rôde encore, il y dépense ses dernières ressources. « Je m'étais repris à aimer St-Germain, par ces derniers jours d'automne ». Trop pauvre pour se payer à Paris même la plus sordide des mansardes, il espère trouver un logement en banlieue.

« Habiter St-Germain ou Versailles, ce serait en somme se trouver logé rue St-Lazare... »

Entre deux de ces petits voyages, il a porté chez Dumas, où l'a reçu cavalièrement une subalterne, des pages incohérentes, fragments bizarres sans queue ni tête, que Dumas, distrait et surmené, fit imprimer sans les voir : c'était la « Pandora ». Quand Gérard se relut il fut mortifié mais trop tard : c'était la première fois qu'il livrait au public une prose imparfaite.

C'est dans l'indifférence générale que Gérard cherche en Ile de France « un oreiller pour reposer sa tête ». Qu'il s'inquiète des pages d'Aurélia, que l'imprimeur inattentif pourrait perdre ; qu'il s'en va proposer « Promenades et Souvenirs » à un éditeur de St-Germain, puis les donne à l' « Illustration ». Ces « Promenades et souvenirs » qui disent nûment sa détresse de sans-logis.

Il donne de ses nouvelles à Blanche, le félicite d'une décoration reçue, l'avise de ce que sa tante a été malade et qu'il est, lui, à l'hôtel de Normandie, ou quelquefois à St-Germain. Il veut s'acquitter envers lui, et le débarrasser de son mobilier. Il n'en mène pas large mais il a promesse d'une représentation à son bénéfice. « On dira : « Au bénéfice d'un artiste ». Le public me doit bien cela, ainsi que certains auteurs et directeurs. C'est du reste une mode à créer et cela vaudrait mieux pour notre existence que pour nos tombes ».

Blanche lui répond avec une affectueuse fermeté, et l'accent d'une amitié meurtrie :

Le 9 novembre 1854.

« Mon cher Gérard,

Je vous remercie d'avoir bien voulu m'adresser vos félicitations ; je dois en effet la distinction dont je viens d'être honoré aux services rendus par mon père et aux efforts que je fais pour continuer son œuvre. J'apprends avec plaisir que vos préjugés de malade sortant mais non guéri (Gérard s'était dit : malade relatif), s'effacent peu à peu. J'aspire pour vous au moment où toutes vos idées fausses auront fait place à des idées sur la nature de la maladie dont vous avez été atteint et sur les soins que vous avez reçus ; car alors vous serez guéri et vous trouverez dans la bonté naturelle de votre cœur les sentiments de reconnaissance que vous devez à vos vrais amis, c'est-à-dire à ceux qui se sont occupés de vous. Quant à moi, j'ai dû, à mon grand regret, sans que mon amitié pour vous en soit altérée, renoncer à vous donner des soins qui, n'étant plus accueillis par vous avec confiance, ne pouvaient plus vous être utiles ; sur vos instances réitérées, j'ai été obligé de vous remettre à votre famille et je vous ai vu avec chagrin refuser une hospitalité que j'aurais été heureux de vous continuer toujours. Lorsque vous m'avez quitté, j'ai dit à Mme Labrunie, votre tante, que vous n'étiez pas en état d'être abandonné à vos propres forces et que vous aviez besoin d'une surveillance assidue; j'ai été informé depuis que mes inquiétudes n'étaient que trop fondées ; j'ai su en même temps que vous attribuiez votre exaltation au chagrin que vous éprouviez de ne pouvoir vous acquitter envers moi, et aussi à la pensée que vous ne seriez plus reçu comme ami dans une maison dont vous aviez été quelque temps, et dont j'avais rêvé que vous seriez toujours l'hôte. Ne voulant pas commencer à mériter vos reproches, ni ceux de vos amis, je m'empresse de vous rassurer. Lorsque vous n'aurez plus de préventions contre moi ; lorsque vous jugerez sainement ma conduite à votre égard, et que par conséquent vous pourrez avoir plaisir à me voir, venez ; pour ce qui est de l'argent que vous me devez, puisque vous vous dites mon ami, traitez-moi donc en ami, et permettez-moi d'attendre que vos travaux aient produit tout ce que vous en espérez, sans me donner le souci de penser que cette préoccupation vous empêche de vous y livrer complètement. J'ai fait vos compliments à ma mère, à ma femme, à Antony et aux quelques autres personnes qui sont en état de les recevoir. Toutes vous envoient leurs amitiés, auxquelles je joins les miennes avec l'assurance de mon sincère dévouement.

XXII

Une dernière fois Gérard écrit à Blanche, qui a, dit-il, tous les bonheurs, car sa femme attend un enfant.

« Rien ne m'attriste, lui dit-il, comme de penser que vous pourriez m'en vouloir encore de l'irritation maladive que j'avais conservée, sortant de chez vous ».

Les doux reproches de Blanche ont porté, et cette dernière missive est d'un vaincu. En post-scriptum il ajoute : « Pardon de vous laisser encore embarrassé de mes effets ; je ne tarderai pas à prendre un logement, n'en ayant pas trouvé à ma convenance le terme dernier ».

La veille, 1er janvier 1885, la « Revue de Paris » a publié la première partie de ce qui sera — à son insu — son testament : « Aurélia ». L'autre partie déborde de ses poches, pêle-mêle avec des portraits de reines de France, de sa main. Un jour il envoie ces pages ultimes à Ulbach, accompagnées de l'adresse d'un petit hôtel de la rue St-Honoré, demandant qu'on lui renvoie là les épreuves. Quand elles iront l'y chercher, on les retournera à la Revue avec cette mention : destinataire inconnu.

Le samedi 20 janvier, Théo et du Camp discutent, au siège de la Revue, du futur « Capitaine Fracasse », quand Gérard leur rendit la dernière visite : par 18 degrés sous zéro, il frissonne sous un « habit chétif », dira du Camp, ayant, comme font les clochards, endossé ses deux chemises de fine toile l'une sur l'autre. On frissonne rien qu'à le voir. Il porte un chapeau haut de forme. Il lui reste 20 F : sa semaine, dit-il. *Et il fait encore des projets.*

Le 23 janvier il remet au bibliophile Jacob, directeur du « Mercure de France », qui jadis publia ses premiers essais de poète, (il les appelle ses élucubrations), la liste hâtive de ses Œuvres Complètes.

Il a « posé le point à son dernier sonnet ». Pense-t-il à mourir ? Rien n'autorise à le croire : quand on lui parle du suicide il met en garde : « L'âme du suicidé pourrait bien n'aller pas au ciel... »

Mais le voici à la merci des rafles, sommé de fournir ses papiers, de dire ses moyens d'existence. Il a « payé le café qu'il vient de boire », et quand un pauvre lui offre cinq francs il les accepte, « en attendant ».

Le 24 janvier il dépose chez Méry absent un message : un sou gravé d'une croix, que Méry comprendra trop tard. (Et quand il l'eût compris ?). Il passe la soirée du 24 avec Bell chez Béatrix Pearson, une des plus jolies femmes de Paris, comme lui originaire du Valois, et qui a incarné une Médicis dans « la Reine Margot » de Dumas. C'est devant elle qu'il avait pour la première fois lu « El Desdichado ». Enfant, elle a, comme Delphine et Adrienne, été vêtue de lin blanc et nimbée d'or pour figurer, dans les processions, un ange. Gérard est-il ému, rêve-t-il encore, pourrait-il créer encore, et la comédienne l'inspire-t-elle ? S'il faut en croire les témoins il fut « drôle », il récita Ronsard et chanta en picard des ballades du Beauvaisis.

Rendu à la solitude et à la nuit, pensa-t-il à la mort, « couronnée de roses pâles comme à la fin d'un festin ? » On croit qu'il l'acheva cette nuit, au violon. Il griffonna, pour sa tantes, ces quelques mots : « Ma chère tante, dis à ton fils qu'il ne sait pas que tu es la meilleure des mères et des tantes. Quand j'aurai triomphé de tout, tu auras ta place dans mon Olympe, comme j'ai ma place dans ta maison. Ne m'attends pas ce soir, car la nuit sera noire et blanche ».

Gérard Labrunie.

Il passa la journée du 25, grâce à un emprunt de sept sous encore, dans un cabinet de lecture. Le soir, de ce cabinet situé dans le quartier Europe, il se rend à pied au Français, où il compte que Houssaye lui donnera quelque avance encore sur une adaptation de Scarron. Hélas Houssaye est absent.

Il grelotte en sortant de là ; il n'a pas d'argent pour l'hôtel : seulement deux sous qu'il a conservés pour se payer l'asile des pauvres. On le voit encore dans trois maisons où nul ne le retient. Puis il gagne à pied le quartier de son enfance, ce quartier des Halles où il sait, non loin de la tour St-Jacques, à l'ombre de l'Observatoire de Catherine de Médicis, un asile de nuit où il peut coucher sur la paille.

Il gèle toujours à 18° sous zéro.

Et ici toute hypothèse est interdite. On sait seulement qu'à 2 heures du matin, il bavarde avec une ronde de nuit (ou fut interrogé par la ronde de nuit ?). Qu'à 3 heures l'aubergiste entendit frapper, refusa de sortir du lit « par ce froid et à cette heure ». Et que l'on frappa pendant un quart d'heure.

A l'aube un chiffonnier trouva Gérard pendu, le gibus bien droit sur la tête.

Le reste le concerne à peine : le défilé des amis, Théo sanglotant, Houssaye effondré, qui s'occupe pieusement des dernières démarches, du Camp constatant à la morgue que les doigts du défunt sont « infléchis en dedans ». Comme s'il était mort non de pendaison, *de froid.*

Houssaye aurait voulu lui dresser chez lui une chapelle ardente, mais cela lui fut refusé : il n'était pas parent du mort. Il exigea alors une enquête de police, car il ne crut pas au suicide : cette enquête (dont le rapport fut brûlé dans un incendie durant la Commune), bâclée, conclut après quarante-huit heures à cette « mort interdite » qui fermait à Gérard les cimetières chrétiens.

C'est Blanche encore qui obtint pour son pauvre malade le dernier refuge : il intervint auprès de l'Archevêque de Paris.

Quant au docteur Labrunie, nul ne sait ce qu'il souffrit, car ce furent ces amis de son fils qu'il avait tant redoutés et blâmés, qui lui apportèrent la terrible nouvelle. Houssaye encore s'en chargea. Je ne pourrais revoir ce malheureux jeune homme, dit le vieillard.

Le 30 janvier, trois cents personnes suivaient en pleurant la dépouille de Gérard à Notre-Dame, qui était pleine de monde, puis au Père-Lachaise, où l'attendait une tombe provisoire. Au nom de la Société des Gens de Lettres, Francis Wey prononça l'Adieu :

« La mort de Gérard de Nerval est un deuil de famille ».

Un secret de famille aussi, puisque Théophile Gautier exigea qu'il ne fût pas parlé de la misère de son malheureux ami, alléguant « la réputation de leur noble profession », les Lettres.

Trois semaines après son ensevelissement, les lecteurs de la Revue de Paris l'entendaient, à la fin d'Aurélia, entonner l'alléluia, le « Gloria in excelsis Deo » : O Mort, où est ta Victoire ?

Entre « Aurélia » et sa tombe, se mesurait enfin l'écart entre « son abaissement inouï et sa haute destinée de poète ».

Cet écart, il appartiendrait à Baudelaire de le dire, lorsque, quelques années plus tard, Houssaye et Théophile Gautier donneraient à leur ami sa sépulture définitive.

« Plus récemment encore, dira Baudelaire, un grand écrivain, et qui fut toujours lucide, alla discrètement, sans déranger personne, si discrètement, que sa discrétion ressemblait à du mépris, délier son âme dans la rue la plus noire qu'on pût trouver. Quelles dégoûtantes homélies, quel assassinat raffiné ! Ses amis trouvèrent là à la fois un corps et un livre. Ainsi naquirent, rue de la Vieille Lanterne, comme ces fleurs inconnues qui profitent d'une seconde d'inattention pour germer et jeter au ciel des tourbillons de pétales, un homme et une œuvre désormais inséparables, qui vont mener, malgré l'ignorance, l'hostilité — ou l'amour —, cette vie que peu connaissent et qui ne finit pas ».

EPILOGUE

Le 1er novembre 1867, cinq ans avant de mourir, Théophile Gautier rouvrit avec mélancolie un carton vert « où gisaient, dans la poussière, des papiers que Gérard avait abandonnés chez lui au cours de ses divers séjours ».

« Je prenais garde de ne pas briser leurs plis cassés. Une voix affaiblie, reconnaissable encore, me chuchotait, avec des mots connus, des tournures de phrases familières, les nouvelles d'autrefois. Comme cela était loin et pourtant si proche encore. Comme le cœur change peu. La plupart des phrases, j'eusse pu les mettre à la poste hier »...

« On se souvient, ajoute Gautier, à propos de ces morts dont sa mémoire aujourd'hui est jonchée, de leur passage à l'horizon, où, sous une lune large et ronde, se dessinait fantastiquement leur fugitive image ».

Comme Gérard il sait bien maintenant que c'est « nous, vivants, qui marchons dans un monde de fantômes ». Encore quelques mois, et pour celui qui partagea sa pétulante jeunesse, Gérard, le collégien du lycée Charlemagne, le traducteur de Faust, sera jeune et vivant. « O Primavera ! ».

...Il referma le carton vert...

Achevé d'imprimer
le 23 Avril 1963
sur les presses de la
Sté des Imprimeries
MAURY à Millau
—— (Aveyron) ——

N° d'Editeur : 172
N° d'Imprimeur : 8 A